CW00665300

For Peter,
those

Visites

which have
a lot to do
with England

Amitiés

[signature]

Michael Lonsdale

Visites

PAUVERT

© Pauvert, département de la Librairie Arthème Fayard, 2003.

*À Simone
ma chère et tendre
qui m'a donné...*

*Merci à
Valérie Marin La Meslée
d'avoir mis en écriture
ce que j'aurais eu
bien du mal à exprimer
sans sa visite.*

Quand la porte s'ouvre...

Si je sais encore par cœur le texte de *Comédie* de Samuel Beckett, c'est parce qu'il est court, mais plus sérieusement parce qu'il est à l'image de ma vie : des êtres se trouvent bienheureusement tranquilles dans le noir, cachés dans leurs jarres. Jusqu'au moment où une lumière les conduit à sortir de l'ombre et les entraîne à parler, sans qu'ils puissent, dès lors, s'arrêter. L'exercice auquel je me livre dans ces pages semble prolonger la situation : les questions sont autant de lumières projetées sur des souvenirs, impressions, mots et visages. Peu à peu, cet éclairage vient nourrir mon propos et voilà que les petites pièces d'une vie finissent par constituer devant moi un puzzle, un défi au présupposé de départ en forme de : « Je vous avais bien dit que je n'avais rien à dire ! »

Notre époque a le goût du témoignage. On interroge un parcours et un autre, peut-être pour comparer, sans doute pour y trouver quelque secret. Je ne dois cette invitation à la confidence qu'à mon métier d'acteur. Il a sorti mon nom de l'anonymat. Nombre de mes « collègues » se sont prêtés au genre dit du livre de comédien : tout, ou son équivalent, me semble avoir été écrit et je ne tenais pas à encombrer de mon lot d'anecdotes les coulisses du métier, ni prétendre à un savoir que je n'ai pas. Alors quoi ? Tenter ici, comme je l'ai toujours fait dans mon travail, de me laisser visiter dans une disponibilité naturelle mais cette fois par une parole au plus proche de la mienne. Explorer, autant pour moi que pour autrui, cette curiosité contenue dans la fameuse réplique du répertoire « Vous avez dit bizarre », à laquelle je semble toujours devoir être renvoyé. En prendre acte. Et interroger à haute voix ce qui, m'assure-t-on, tiendrait, sous la réserve mienne, du mystère. *Why not ?*

Qu'est-ce qu'une visite ? Pour moi, c'est ce moment fugace, parfois intense, où l'on va trouver l'autre. On ne se visite plus beaucoup aujourd'hui... Mais l'expression n'a rien perdu de son charme : faire une petite visite. Il y a, en chacun de nous, autant de personnes qu'il y a de personnes pour le regarder, et pour le comédien, l'effet est encore démultiplié. Mieux vaut donc éclairer quelques facettes que d'échouer à la somme, et opter joyeusement pour la liberté du coq à l'âne, au risque de la fantaisie.

Tout ce que contient ce livre m'a, de près plus souvent que de loin, concerné. Mais tout ce qui m'a concerné ne s'y trouve pas. Une visite vous surprend dans le mouvement de la vie, et même si elle arrive lorsque le puzzle est déjà bien avancé, tout bouge encore et peut encore bouger, toujours...

J'aime ce mot de « visite ». Celle qu'on se fait à soi-même a quelque chose de périlleux. On tâtonne à exprimer ses désirs, ses hésitations, ses joies, ses désenchantements. L'exploration a des limites. Tout au fond, à la cave, se trouvent des choses que l'on n'a pas trop envie de remuer. On ne peut ouvrir toutes les pièces de l'appartement, mais il fait bon laisser entrer la lumière que les autres y ont apportée et continuent d'y diffuser : j'ai pu accéder à l'univers de certaines personnes dont le rayonnement est immense.

Et puis dans « visite », il y a « visitation ». Des enfants, très tôt, reçoivent des révéla-

11

tions. Chez moi, tout s'est fait très lentement, comme toujours. Mais, oui, j'ai été visité. Et cette grâce n'est pas si éloignée de ce dont parlait Charles Dullin, à propos de certaines représentations de théâtre : « Il y a des soirs où les dieux sont descendus et des soirs où ils nous laissent travailler tout seuls. »

La plus grande joie, c'est ce moment où l'on accepte de se laisser surprendre par ce qui vous est donné, et de s'y abandonner.

Peut-être qu'un lecteur découvrira, en suivant le fil de ces visites rendues aux choses et aux êtres qui ont marqué ma vie, une petite phrase pour lui. De celles qui résonnent soudain comme une intention personnelle lorsque le comédien les transmet au public. Ou bien de celles qui, dans les Écritures, viennent soulager la souffrance d'un être. Dégager un peu l'horizon.

Chacun a son étrangeté, plus ou moins inquiétante... La mienne, s'il en est, se trouvera ici éclairée par les choix qu'une disposition spirituelle, devenue avec le temps une pratique, m'a amené à faire. Sur tout chemin se rencontrent la part de la volonté et celle du hasard. J'aime beaucoup la vision du hasard selon Einstein : Dieu qui se promène incognito.

VISITES...

À un enfant d'ailleurs

« Après tout, qu'est-ce que Dieu ? Un enfant éternel
jouant à un jeu éternel dans un éternel jardin. »
                                              Shri Aurobindo.

Chaque fois qu'il y avait une catastrophe financière, maman allait trouver son père. Aussi fut-elle contrainte, au moment de ma naissance, de lui révéler le scandale de mon existence : conçu tout à fait en dehors des lois, alors que ma mère était encore mariée à un officier de marine, je suis né dans le secret d'une clinique parisienne. Cachez cet enfant que l'on ne saurait voir ! Un brin d'analyse sauvage permettrait de conclure que je serai bien décidé, au contraire, à me montrer. Fruit du couple illégitime formé par ma mère, française, et mon père, anglais, j'ai découvert à l'âge de dix-huit ans, en accomplissant une démarche administrative, que j'étais né de « mère inconnue ». Ma mère n'avait pas eu le droit de me déclarer. Et mon père a pu me reconnaître à la seule condition que le premier mari de ma mère me désavoue.

Edward Crouch, mon père, était le cadet d'une famille de six enfants ; son père dirigeait une école, sa mère était d'origine irlandaise. Il avait eu l'idée saugrenue d'adjoindre à son patronyme celui de son parrain : Lonsdale, qui signifie « longue petite vallée ». Pourquoi ce nom à courant d'air ? Le signe d'une tendance à se faire passer pour ce qu'il n'était pas ? Et que j'aurais, hérédité oblige, poussée plus loin ? Le comédien, par définition, passe son temps à être un autre que lui...

Un soir, lors d'une réception chez des amis riches, mon père s'était présenté comme étant rien de moins que Lord Lonsdale ! Par malchance, ses hôtes connaissaient le véritable lord du nom, et il fut démasqué. Ma mère, en me le racontant, en riait encore. Ce père est longtemps resté un mystère pour moi : l'amalgame des éléments dont je dispose à son sujet n'a jamais vraiment quitté la forme d'une question. C'est cet homme séduisant qui a conquis ma mère, grande bourgeoise, belle femme. Plus de charme encore que de beauté. La façon d'être de ma mère, joyeuse, espiègle, avenante, lui a valu de vivre entourée de beaucoup d'amis qui se sentaient en confiance avec elle. Elle avait ce don, assez rare, d'être de bonne compagnie. Laurent Terzieff et Pascale de Boysson, et bien d'autres partenaires de scène, ont pu en juger puisque ma mère m'a accompagné plus d'une fois en tournée. Elle adorait le théâtre. Très impressionnée par Sarah Bernhardt, elle m'en parlait souvent, avec une folle admiration que partageait aussi mon grand-père ; à ma demande, celui-ci avait accepté de me « recevoir » pour me la décrire dans *La Tosca* de Victorien Sardou où, muette, elle parcourait toute la chambre en embrassant amoureusement les objets qu'avait touchés son amant mort, comme Greta Garbo le ferait plus tard dans *La Reine Christine*.

Ma mère aurait voulu être pianiste, mais dans la maison familiale il fallait respecter le silence souhaité par mon grand-père... Elle aimait les artistes, et il n'est pas exclu que mon attirance pour le métier de comédien soit, en partie, due à mon désir de lui plaire. Je réaliserais, en choisissant cette carrière, une part de ce qu'elle aurait souhaité pour elle... Le cas n'est pas rare.

Pour l'amour de mon père, elle avait quitté son mari, un officier de marine anglais, dont elle avait eu un fils, mon grand frère Gérald, de quatre ans mon aîné. Née en Algérie, ma mère, comme toutes les jeunes filles de la grande bourgeoisie, était conviée à ces nombreuses réceptions données sur les bateaux de la marine anglaise de la Méditerranée, dans la baie d'Alger. À peine montée à bord, elle rencontra l'un de ces beaux officiers en costume blanc, qui s'empressa d'inscrire son nom dans son carnet de bal. Et pour toutes les danses. Au bout de la dernière, il la demanda en mariage. Mon grand-père souffrait de devoir laisser partir sa fille, mais elle avait déjà vingt-cinq ans. Elle traversa la mer pour aller visiter sa belle-famille anglaise, découvrant là-bas de vieilles dames aux cols montés et robes jusqu'aux chevilles qui l'accueillirent avec perplexité : dans quelle mesure était-elle une Arabe puisque venue d'Algérie ? Élevée dans un collège en Angleterre, ma mère parlait très bien l'anglais, ce qui rassura probablement sa future belle-mère jusqu'au moment où celle-ci, lui demandant comment elle se portait, reçut la réponse suivante : « Je me remets tout juste d'une diphtérie. »

Aussitôt, son hôtesse la pria de rejoindre sa chambre et de ne pas la quitter jusqu'à l'arrivée d'un docteur. Ma mère avait gardé un souvenir assez cocasse de cette intronisation en forme de *check-up*.

Puis elle suivit son mari dans tous les ports. L'Angleterre, alors, dominait la mer.

Je crois devoir la vie à ce que l'on appelle communément un « coup de foudre ». Mon père fit la connaissance de ma mère par le biais du football. Le mari de ma mère avait invité Edward Crouch chez lui à la suite d'un match au cours duquel les deux hommes s'étaient pris de sympathie l'un pour l'autre. Quelque temps plus tard... je venais au monde, au grand dam de la famille maternelle. Mon statut de bâtard évoquait sans doute de mauvais souvenirs à mon grand-père, qui n'accepta d'aider mes parents qu'à la seule condition de cacher l'objet du scandale : moi.

« Qu'ils partent pour l'Australie ou le Canada, déclara-t-il.

— Gabriel, pas si loin, je vous en prie », supplia ma grand-mère à genoux.

C'est ainsi que nous nous retrouvâmes sur l'île de Jersey : mon grand-père — rentier depuis qu'il avait hérité d'une grande propriété vinicole en Algérie — y acheta un hôtel pour mes parents. Mais la faillite fut déclarée au bout d'un an. Mon père était incapable de gérer la moindre affaire, et surtout pas un hôtel, dans lequel au bout du compte ne séjournèrent, à titre gratuit bien sûr, que des amis. Avec la somme de la vente de l'hôtel de Jersey, une jolie somme, nous partîmes vivre à Londres quelque temps, jusqu'à la guerre. Nous habitions le quartier de South Kensington, dans un immeuble avec colonnes et marches. Je me promenais souvent avec ma nurse noire, originaire de la Barbade, dans le merveilleux jardin du musée des Sciences et des Techniques. J'y faisais des tours à bicyclette. Plusieurs enfants s'amusaient ensemble, et je restais seul dans mon coin. Un jour, l'une des petites filles vint à moi :

« Veux-tu jouer avec nous ? » J'exultais. Mais voilà qu'au bout de quelques tours de pistes la petite péronnelle déclara : « Ça suffit, maintenant je n'ai plus besoin de toi. » Ce sentiment d'exclusion arbitraire est l'un des souvenirs les plus cruels de mon enfance. Pourquoi ce rejet ? Est ce qu'on ne m'aimerait pas ? Beaucoup plus tard, François Truffaut me ramènerait à ce souvenir d'enfance : le marchand de chaussures que j'interprétais dans *Baisers volés* maltraite ses employés, mais souffre tout de même de n'être pas aimé d'eux. Il engage un détective pour répondre à la question : pourquoi est-ce qu'on ne m'aime pas ?

Il ne me reste que peu de souvenirs de ces années londoniennes entre l'âge de quatre et huit ans. Pourtant, en lisant bien plus tard, au Maroc, une nouvelle de Virginia Woolf, j'ai eu le sentiment de la suivre pas à pas dans sa promenade si poétique à travers la ville, en quête d'un crayon, et qui commence ainsi :

« Personne, peut-être, n'a jamais éprouvé de penchant passionné pour un crayon à mine de plomb. Mais il est des circonstances où l'acquisition d'un tel objet nous paraît suprêmement désirable ; des moments où nous cherchons éperdument une excuse, un but pour traverser à pied la moitié de Londres, entre le thé et le

dîner. Comme un chasseur de renards chasse pour conserver la race des renards et l'amateur de golf joue au golf pour préserver des bâtisseurs les espaces découverts, ainsi, lorsque le désir nous prend d'aller à l'aventure par les rues, un crayon est un excellent prétexte et nous disons en nous levant : "Il faut absolument que j'achète un crayon", comme si nous pouvions, sous le couvert de cette excuse, en toute sécurité, nous offrir le plus grand luxe de la vie citadine en hiver : une flânerie dans les rues de Londres. »

Je retrouvais dans les pages qui suivent tout ce climat londonien, la fameuse matière cotonneuse du *fog* et le froid humide des hivers tels qu'ils m'attendraient à Paris, beaucoup plus tard. Mais avant, d'autres paysages émerveilleraient mon enfance, sous un soleil que ma mère, nostalgique de celui d'Algérie, avait hâte de retrouver. Mon père, sans situation au sortir de l'armée des Indes, avait en effet dégotté un job de représentant en engrais chimiques au Maroc lors d'une rencontre dans le train de Londres à Paris : un Allemand, qui jouait aux cartes avec nous pendant ce voyage, le lui proposa. Ma mère insista, il accepta. Nous partions pour six mois.

Durant cette nouvelle période de sa vie, ma mère aurait souhaité prendre son fils aîné avec nous, dont le père se trouvait toujours à l'autre bout du monde sur des navires de guerre, mais mon grand-père s'y opposa. Il se dégageait de la personnalité très forte de cet homme une autorité à laquelle personne ne pouvait résister. Ma mère lui céda, sachant que l'enfant serait bien élevé et recevrait tout l'amour de sa grand-mère. Je constate, non sans douleur, qu'à relire son enfance et celle des êtres chers, le pire vient côtoyer le meilleur. Alors que l'on aimerait montrer seulement ce qui est beau et bon, des moments que l'on préférerait oublier reviennent aussi à la surface. Comme cette phrase que j'avais eue, vilain petit gosse que j'étais, faisant la connaissance de mon demi-frère venu nous voir à Jersey, et me parlant de « sa » maman :

« *It's not your mummy, it's mine.* »

Et quand mon frère assista à notre départ pour le Maroc, j'avais l'estomac noué, ne sachant plus que faire de moi-même, ni comment contrôler mon émotion en voyant ma mère et mon frère pleurer. Chacun tentait de se réconforter en se disant que tout cela ne durerait pas plus de six mois. Mais, à cause de la guerre, la séparation durerait huit ans...

21

J'ai eu beaucoup de chance de profiter sans discontinuer de la présence de ma mère, et cela aussi longtemps que possible puisque je vivrais avec elle jusqu'à sa mort, dans cet appartement parisien que j'occupe toujours. J'ai été très aimé par ma mère, trop peut-être, captif de cet amour maternel dont Marguerite Duras dit qu'il ne cesse jamais, mais il me fut si précieux... J'éprouvais pour elle ce sentiment que l'on peut avoir pour une grande, grande amie, avec laquelle on partage tout.

Il fallait être un peu fou pour quitter Londres en août 1939, à la veille de la déclaration de guerre, alors qu'on y avait déjà essayé les masques à gaz... D'autant que quelque temps après notre installation s'ouvrirait une période difficile pour les Anglais du Maroc, qui allaient y souffrir les retombées de l'Histoire : à partir de la date fatidique de Mers-el-Kébir, ce jour de juillet 1940 où la flotte britannique avait bombardé la flotte française, sans prévenir, la situation tourna même au cauchemar. Mon Anglais de père apparaissait comme un traître. On l'injuriait dans les restaurants. Ma mère ne savait plus sur quel pied se tenir. Quant à moi, je regardais la situation avec des yeux ronds, non sans angoisse. Nous étions sur le point de quitter le Maroc, mon père ayant perdu son travail à cause de la guerre, quand nous avons appris que nos visas étaient supprimés : comme quoi le destin voulait absolument que nous restions !

Cette période où mon père fut soupçonné d'appartenir à l'Intelligence Service fut assez douloureuse. Elle a beaucoup compté, et bien injustement, dans l'image que je me suis forgée de cet homme, image qui me conduit trop souvent à parler de lui en termes négatifs. On l'interna dans un camp, loin de nous, restés à Rabat à espérer son retour. En tant que fils de « l'Anglais », je fus maltraité par les enfants des familles vichyssoises qui m'attendaient à la sortie de l'école pour me tabasser. D'autres, au contraire, m'accueillaient à bras ouverts, comme cette famille du nord de la France foncièrement gaulliste, dont les enfants s'étaient offerts à moi comme « gardes du corps ».

Par un réseau de relations, ma mère parvint à faire revenir mon père, plus près de la côte : la vision de mon père, de retour de la vallée du Tafilalet où il était resté six mois, traité comme un prisonnier, escorté par des gardes, fusil à la main, m'a fait mal. Dans ce train où nous l'avons rejoint se trouvait une comtesse belge qui nous avait beaucoup aidés quand maman était seule à Rabat. Mais lors de ce voyage, elle était installée avec ses six bassets dans un compartiment de première classe, tandis que nous accompagnions mon père en troisième. Je ne savais pas encore que parmi ces hommes voyageant sous surveillance se trouvait celui qui allait remplacer mon père dans la vie de ma mère...

Jusqu'à l'arrivée des Américains en novembre 1942, nous avons vécu en résidence surveillée à Settat, une ville située sur la route de Marrakech, à soixante-dix kilomètres de Casablanca, où se trouvait un immense marché de chameaux. Des milliers de chameaux, me semblait-il, arrivant de tout le sud du pays pour être vendus. On les craignait parce qu'ils transportaient toutes sortes de microbes. Les odeurs si fortes de ce pays... La ville de Settat n'était pas jolie, mais j'y ai vécu deux hivers et deux étés, en plein cœur du Maroc profond, avec grand bonheur. Je jouais avec des petits Marocains de mon âge, c'était la période si perméable de l'adolescence, et ma sensibilité en est restée profondément marquée.

Du jour où les Américains ont débarqué, la vie a complètement changé. Nous écoutions la BBC en cachette, au fond de la maison. Et soudain : « *I'm General Eisenhower. We are landing, be calm* », etc.

Be calm ? J'avais onze ans, et ne brûlais que d'une envie : aller à Casablanca. J'attendais tant de voir la ville, et les Américains. Nous n'y sommes partis que trois ou quatre mois plus tard. Mon père s'était engagé dans les pionniers anglais, à Alger, et nous avons alors connu, ma mère et moi, des moments de folie : cette grande ville au port éclairé toute la nuit était quelque chose d'inoubliable. Ça débarquait, ça embarquait sans arrêt, tanks, armes, soldats, Canadiens, Australiens, Anglais, Américains, tout ça partait combattre vers la Tunisie, la Libye. Les Américains étaient fous, ils dépensaient tout ce qu'ils avaient. Ils se bagarraient dans les cafés. Complètement saouls, ils prenaient à bout de bras les grandes tables en marbre qu'ils jetaient dans les vitrines... Il y avait de quoi être impres-

25

sionné. Les prostituées tournaient autour des soldats, espérant se faire épouser pour partir en Amérique, et eux, ne sachant le temps qu'il leur restait à vivre, épousaient à tour de bras ! Je revois ces paysans de l'Ohio ou d'ailleurs, ignorant tout de l'Afrique, se faisant dépouiller la nuit et retournant nus comme des vers à la caserne, creusant des tunnels sous la ville ou passant par les toits pour rejoindre le quartier réservé, les femmes et les nuits folles. En tant qu'étrangers, nous n'avions pas, quant à nous, le droit de séjourner plus de trois jours dans un même hôtel. Il fallait déménager sans arrêt, jusqu'à ce qu'une amie de ma mère propose de nous héberger. Dès que nous avions trois francs cinquante, nous allions avec ma mère les dépenser au cinéma.

C'est à Casablanca que j'ai connu le cinéma, profondément. Les Américains organisaient des séances dans leur caserne et m'y invitaient, me régalant de chocolat et de chewing-gum. Ma fascination pour le métier d'acteur est née de ces moments. J'ai connu la jubilation de voir des comédiens fabuleux tenir un rôle, j'ai désiré cet instant-là, je me suis projeté en eux, rêvant de pouvoir faire éprouver à mon tour aux autres, par le jeu et l'interprétation, ces sensations que je découvrais. En un mot, je rêvais de devenir comédien. Je collectionnais des photos d'artistes, trouvées dans des plaquettes de chocolat, je les étalais par terre et leur faisais la leçon, je leur attribuais des points, à coups de dés, en m'arrangeant toujours pour que Greta Garbo soit la première. Ma première idole, sa beauté en Reine Christine, dans ce film alors « interdit aux mineurs », cette pâleur noble, cette silhouette fragile. Le rêve absolu.

De Casa, nous sommes retournés ensuite à Rabat. Maman avait changé de vie. Il n'y avait plus d'amour entre elle et mon père mais ce dernier vivait pourtant sous le même toit que nous, aux côtés du nouveau couple formé par ma mère et son amant anglo-russe. Les deux hommes étaient même devenus amis ! À repenser à cette vision, je dois bien avouer que j'ai eu honte de mon père, mais je lui ai pardonné. Je me souviens précisément d'un rêve, un rêve où il venait vers moi. Mon père ne s'est pas très bien conduit à mon égard, mais si l'on cherche à comprendre pourquoi, si l'on commence à découvrir les raisons d'un comportement, tout peut s'apaiser. Connaître la vie de ses parents permet d'excuser presque tout. Celle de mon père est assez triste, celle d'un homme qui marchait à côté de lui-même, traumatisé par cette existence de militaire qui l'avait détruit, et, peu à peu, conduit à boire, trop. Il n'était pas du tout fait pour entrer dans l'armée où on l'avait collé à quatorze ans en lui disant : « C'est merveilleux, tu vas accomplir des sacrifices, tu auras un beau métier. » Il était sorti de l'armée des Indes à trente ans, je ne sais pas s'il en avait été chassé, un mystère supplémentaire plane à ce sujet. Il s'est retrouvé simple soldat, s'est essayé à toutes sortes de jobs, sans jamais parvenir à se refaire une vie. Né avec le siècle, il est mort à cinquante-quatre ans. Il n'a pas vécu longtemps après la guerre où il était parti faire la campagne d'Italie, et ne se remit jamais complètement d'une commotion provoquée par l'explosion d'une bombe allemande. Un homme finalement courageux.

J'ai le regret de ne pas avoir beaucoup senti mon père plus présent, plus ami. Ma relation avec lui n'avait pas d'épaisseur, pas de complicité. Je lui posais des questions, qui demeuraient des questions. Mais je lui dois de m'avoir emmené plus tard, en 1948, quand je suis venu le voir à Londres, dans des studios de cinéma. J'espérais tant qu'un jour j'y travaillerais — en étant loin d'imaginer alors que ce jour arriverait. Mon père, à ce moment-là, faisait de la figuration pour gagner quelque sous : il est un rameur dans un film intitulé *Christophe Colomb*, d'un certain David Mac Donald.

Je lisais Kipling en pensant à lui. J'aurais voulu qu'il me racontât des histoires des Indes, qu'il nourrisse mon imaginaire. J'ai quelques photos de mon père, dont l'une le montre en Inde avec d'autres officiers. Cette image est pleine des atmosphères de colonie britannique que décrit si bien T.E. Lawrence dans *Les Sept Piliers de la sagesse*. Curieusement, c'est un uniforme semblable au sien que j'allais revêtir pour mon premier rôle au cinéma en 1956, dans le film de Michel Boisrond *C'est arrivé à Aden*.

J'ai beaucoup pensé à mon père en jouant, bien des années après, le rôle du vice-consul de Lahore dans le film de Marguerite Duras, *India Song*. J'ai pensé l'Inde à travers lui. Je brodais autour des activités du personnage du vice-consul, dont les invités parlent comme de quelqu'un qui tue les lépreux, et tire, sur lui-même, dans le miroir. Je puisais là comme une inspiration pour être tout à cette soirée où, sur cette fabuleuse musique de Carlos d'Alessio, Delphine Seyrig fait son apparition, tandis que moi, en vice-consul, je lui crie mon amour. Dans le film, il s'agissait de colons français et non pas anglais, mais tous ces Blancs, ces gens « importants » des colonies, contrôleurs civils, gestionnaires des affaires du pays, de la région, se ressemblaient tellement...

Il fallait bien prendre quelque part en soi cette pesanteur, cette lourdeur, cette fatigue qui naissent du climat, la sensation de la chaleur. Tout ce que j'avais perçu et vécu en Afrique du Nord, tout était là aussi, la transpiration, les ventilateurs, et il faut croire que tout était là, en effet, puisque que les spectateurs me disaient : « Quel merveilleux voyage en Inde vous avez dû faire pour tourner ce film ! » Alors que nous n'avons pas quitté la région parisienne...

Après la guerre, mes parents se sont séparés mais demeurèrent toujours en bons termes. L'homme qui avait remplacé mon père vécut peu de temps avec nous en France, bientôt emporté par un cancer, et aucun autre ne lui succéda auprès de ma mère.

Nous avions pu être rapatriés, l'année 1947, grâce à l'aide d'amis très chics qui nous avaient aidés à payer le voyage.

Mes débuts dans ce nouveau décor m'impressionnèrent beaucoup. Le petit Anglais à la fois sage et sauvage que j'étais découvrait la France en n'ayant commencé à ne parler le français qu'au Maroc. À dix ans mon accent était terrible, mais le français est une langue que j'aime. Je l'ai adoptée au point de négliger l'autre, que je ne pratique plus depuis que très occasionnellement. Pourtant, je n'ai jamais su écrire correctement le français : mes doutes, mes scrupules quand je griffonnais une carte postale à l'attention de Marguerite Duras ! Mais elle aimait mes fautes d'orthographe, qui la faisaient rire.

Au Maroc, cette double appartenance linguistique avait fait de l'enfant que j'étais une vraie mascotte de régiment ! À partir de novembre 1942, je servais d'interprète aux Américains. Dans mon métier j'ai utilisé ma langue paternelle en tournant sous la direction de metteurs en scène comme Orson Welles, Joseph Losey, James Ivory... Parmi ces quelques tournages en anglais, celui de *Smiley's People* adapté du roman de John

Le Carré pour la télévision, m'a permis de travailler avec le très grand Alec Guinness. Le film ne fut jamais montré en France, hélas !

Je garde un souvenir particulièrement fort de mon travail avec Fred Zinnemann. J'ai tourné sous sa direction *Le Chacal*, adapté du roman de Frederick Forsythe, sur l'attentat du Petit-Clamart : dix ans après m'avoir donné un rôle de figuration dans *Et vint le jour de la vengeance*, avec Anthony Quinn et Gregory Peck, Zinnemann, qui s'était pris de sympathie pour moi, a tenu la promesse qu'il m'avait faite alors : « La prochaine fois que je tournerai à Paris, je vous donnerai un rôle plus important. » De retour à Paris au tout début des années soixante-dix, il recherchait pour *Le Chacal* des acteurs français parlant l'anglais. Il m'a convoqué au studio et m'a proposé un rôle qui ne m'intéressait pas. Comme j'avais pris de l'assurance, je décidai de jouer quitte ou double et lui dis sans détour : « Le seul rôle qui m'intéresse est celui de l'inspecteur Lebel. »

Ce grand monsieur, respecté, vénéré, couvert d'Oscars, fut estomaqué qu'un comédien ose lui parler ainsi. Il accepta de me confier le personnage qui piste « le Chacal » chargé d'assassiner de Gaulle tout au long du film. Zinnemann, juif d'origine autrichienne, était un homme d'une remarquable finesse. Je me souviens qu'il donnait ses indications de mise en scène avec beaucoup de douceur et de gentillesse. Il m'avait fait apprendre le rôle avec un *coach*, jugeant que mon accent anglais était un peu trop français. J'apprenais de nouveau à prolonger les syllabes : on oublie que les voyelles anglaises sont doubles, à force de parler anglais comme un Français : *day* ne se prononce pas « dai » mais « daii »... Et c'est infiniment plus joli.

À l'occasion de ce tournage en anglais, je me suis rendu compte d'une absurdité : à mes débuts de comédien, on avait francisé mon prénom, Michael, en Michel, plus facile à prononcer, me disait-on. Je le revois sur l'affiche de la première pièce de théâtre que j'ai jouée aux Mathurins en 1955, mise en scène par Raymond Rouleau : *Pour le meilleur et pour le pire* de Cliffort Odets. Mais alors que je tournais un rôle important dans *Le Chacal*, près de vingt ans plus tard, en entendant des Anglais me nommer Michel, il m'a semblé atteindre le comble du grotesque ! De ce jour, alors que je n'y avais guère prêté attention, j'ai veillé à ce qu'on m'appelle simplement par mon prénom. Certains ont vu un caprice de star derrière cette exigence somme toute bien naturelle, même si curieusement tardive. J'ai lu, ici ou là, que je conservais le prénom de Michel pour mes rôles de boulevard, réservant Michael à mes emplois rive gauche. Ou encore qu'il me plaisait de marquer la différence entre Michael, le peintre, et Michel, le comédien. Rien d'aussi compliqué, mon Dieu ! Être simplement appelé par son prénom. Celui que mes parents m'avaient choisi.

Le hasard m'avait fait naître *British*. Il faut dire que ma mère avait juré de ne jamais épouser un Français, et ne tomba amoureuse que d'Anglais. Les significations dérivées du terme sont multiples. *British*, c'est presque un label : une sorte de flegme, de distance, une certaine réserve, et il faut bien avouer que je me sens proche de tous ces mots. Mais il y aurait discussion sur celui de « pudeur », à lire la vie et les œuvres de bien des artistes, et à voir les Anglais, grands excentriques comme chacun sait, dans leurs moments d'exhibition !

Le hasard, encore, me fit éprouver mon premier grand choc littéraire en découvrant les auteurs anglais. Un jour de 1944, au Maroc, j'avais donc treize ans, ma mère rapporte à la maison le numéro « Aspects de la littérature anglaise » (1918 à 1944) de la revue *Fontaine*, dirigée par Max-Pol Fouchet et réfugiée pendant la guerre en Algérie. À partir de cette lecture, un monde s'est ouvert à moi dans ce désert culturel — à l'exception du cinéma — qui nous entourait au Maroc. Pour la première fois, je me suis instruit en m'émerveillant.

Tous les noms des écrivains recensés dans cette revue brillent encore pour moi comme des étoiles. On y trouve des auteurs comme Aldous Huxley, par exemple, presque oublié mais qui a tellement marqué les mentalités avec *Le Meilleur des mondes*. Katherine Mansfield, que j'aimais beaucoup, Rosamond Lehmann, etc. Tout ce qui avait paru dans ce numéro était sacré à mes yeux. Et chaque fois que je me replonge dans la littérature anglaise, Evelyn Vaugh, Joseph Conrad, c'est avec délice...

Au-dessus d'eux tous trône Virginia Woolf. Cette photo d'elle, reproduite dans la revue,

35

paraissait tout un programme. Virginia marque le début chez moi d'une fascination pour ces êtres pleins de grâce au bord du précipice. Elle est ma première femme-icône, je me plongeais dans ses yeux pareils à des lacs.

Et dans son œuvre comme on tombe en extase. J'ai flotté avec les personnages des *Vagues*, moi qui me sens si flottant. Non pas errant sans repères, mais plutôt baignant dans les eaux. Plus tard, j'ai baptisé une exposition de mes toiles, chez Nane Stern qui les accueillait, « La Traversée des apparences ». Ce titre ! Quelqu'un m'a dit que l'on pouvait prendre quelques phrases des *Vagues* pour décrire beaucoup de mes tableaux, je n'y aurais jamais songé, mais sait-on soi-même ce genre de choses ? Ces passages où elle décrit la mer et l'activité de l'eau m'émeuvent plus que tout, comme si l'on ressentait, à même l'écriture, ce mouvement de l'artiste qui va toujours plus loin, qui se risque dans l'ailleurs, envahi par un irrépressible besoin d'atteindre un lieu où personne n'a encore été. Tout le contraire de ceux qui ont trouvé un fonctionnement, un système, une manière qui perdurera jusqu'à la fin de leurs jours.

Je me souviens, quand je lisais *Les Vagues*, de m'être levé en hurlant de joie, comme si j'atteignais là quelque chose que je ne parviens pas à analyser. Je manque de mots pour décortiquer, l'expérience vibre en moi, mais comment la dire ? Cette écriture me gagne au fond de l'être : ce passage de *Mrs Dalloway* où la grâce descend sur elle saura exprimer cette espèce de joie mieux que n'importe quel commentaire :

« *La paix descendait sur elle, le calme, la sérénité, cependant que son aiguille, tirant doucement sur le fil de soie jusqu'à l'arrêt sans brutalité, rassemblait les plis verts et les rattachait, en souplesse, à la ceinture. C'est ainsi que par un jour d'été les vagues se rassemblent, basculent, et retombent ; se rassemblent et retombent ; et le monde entier semble dire : "Et voilà tout", avec une force sans cesse accrue, jusqu'au moment où le cœur lui-même, lové dans le corps allongé au soleil sur la plage, finit par dire lui aussi : "Et voilà tout." Ne crains plus, dit le cœur. Ne crains plus, dit le cœur, confiant son fardeau à quelque océan, qui soupire, prenant à son compte tous les chagrins du monde, et qui reprend son élan, rassemble, laisse retomber. Et seul le corps écoute l'abeille qui passe ; la vague qui se brise ; le chien qui aboie, au loin qui aboie, aboie.* »

J'ai connu plus tard une émotion de ce genre en lisant Marguerite Duras, mais Virginia, elle, me rendait fou.

En recevant, récemment, une proposition d'adaptation des *Vagues* pour la scène, j'ai beaucoup hésité ; même si je voue une adoration particulière à ce livre, la question se pose d'une manière plus générale : certains textes passent-ils sur une scène de théâtre, quand ils n'ont pas été créés pour elle ? Virginia a bien écrit quelques pièces pour l'anniversaire de sa nièce que Simone Benmussa a mises en scène. On se souvient de ce plateau réunissant, au Rond-Point, dans *Freshwater*, la fine fleur de la littérature ! Mais ces voix qui parlent dans *Les Vagues* ne sont pas des personnages. Le risque est grand, en les incarnant, de tomber dans la psychologie.

Pour qu'elle m'ait marqué si profondément, j'ai l'impression que Virginia Woolf a décrit des choses que je ressentais très personnellement, mais que je n'aurais jamais pu dire. Je sais bien que je ne suis pas le seul dans ce cas, mais quand j'ai lu ces descriptions de poissons dans l'eau, il y a si longtemps, je me suis senti dans mon élément : l'eau. J'admire aussi infiniment sa peinture des nuages : tout à coup les choses prennent feu... Dès que je songe à cette espèce de vie intérieure, cet abîme sans fond que son écriture parvient à ouvrir, j'ai immédiatement envie de m'y plonger à nouveau... Mais le risque, pour le lecteur, trouve sa limite quand il referme le livre. Virginia, elle, s'est noyée.

Elle appartient à cette catégorie d'êtres qui ne trouvent pas leur place dans ce monde, et que j'appelle les perdus de la vie. Dans mon entourage personnel, et par mon métier, j'ai été amené à les fréquenter, peut-être un peu plus que d'autres. Et j'ai appris à les connaître. J'aime beaucoup le titre du journal de Cesare Pavese : *Le Métier de vivre*. Je ne connaissais pas Pavese jusqu'à ce qu'une lecture me donne l'occasion de découvrir ce texte terrible, traversé, dès les premières pages, par cette obsession du suicide. Une œuvre essentielle, comme celle de tous les êtres perdus. Ce très beau journal si tourmenté, plein de questions, est parcouru des aventures féminines de Pavese ; il avait un côté Don Juan, séducteur très malheureux en amour, chaque fois. Son ultime idylle avec une Américaine lui fut peut-être fatale.

À la fin d'une lecture, un vieux monsieur italien s'est approché de moi : « Je connais le nom de cette femme, et on ne le dit jamais. Elle s'appelle Constance Dowling... » Je l'ai aussitôt noté. Après être venue redonner à Pavese le sens de la vie, qu'il avait perdu, elle le quitte. C'est peut-être une des causes de son choix si brusque. Se donner la mort dans un hôtel en face de la gare de Turin. Alors qu'il avait atteint le degré de reconnaissance auquel beaucoup d'écrivains aspirent... Mais quoi, il n'y a rien à faire pour les personnes atteintes de ce mal-là. Quelque chose ne marche pas et sur un coup de tête alors, on se suicide.

Il n'était pas vieux : quarante-deux ans.

VISITES...

À l'Esprit, et inversement...

> « *La musique crée son espace : plus il est grand,*
> *plus elle est belle ; la première note s'élève,*
> *troue le ciel, heurte la courbure de l'univers*
> *et revient poser la deuxième et ces deux notes*
> *conjuguées en produisent une troisième*
> *que l'on n'entend pas, qui témoigne de l'accord*
> *et qui réjouit l'âme. Ainsi, l'Esprit.(...)* »
> André Frossard, *L'art de croire.*

Comme chacun, et sûrement moins que beaucoup d'autres, je devais traverser des périodes très difficiles qui se situèrent pour moi aux alentours de la quarantaine. Difficiles, mais jamais au point de vouloir attenter à mes jours. Dieu nous a donné la vie, et ma force de croyant m'enjoint à respecter ce don, ce qui ne signifie pas que l'on soit doué pour vivre... Dieu est arrivé assez tôt dans ma vie. Ma mère, qui avait été élevée dans la religion catholique, m'en parlait pourtant peu. Cette femme ayant vécu si librement était, au regard de la religion, une vraie coquine, une exclue ; bannie, en quelque sorte, par sa conduite. Élevée en Angleterre sous la houlette de religieuses effroyables qui lui avaient répété toute son adolescence qu'elle serait damnée, qu'elle irait en enfer, ma mère s'est éloignée de la religion, devenue synonyme de menace et de peur. Elle a tout abandonné, pour n'y revenir qu'à l'âge de cinquante ans. En lisant les *Pensées* de Pascal, elle s'est mise à y réfléchir : « *La dernière démarche de la raison est de reconnaître qu'il y a une infinité de choses qui la surpassent.* »

Il en fut tout autrement de mon parcours. Pourquoi ? Je l'ignore. Dieu m'attirait. Dieu, plus que la religion. À Rabat, une amie de ma mère, peintre, m'emmenait parfois le dimanche à la cathédrale et j'aimais l'odeur de l'encens. « Ce petit a des dispositions », avait dit à maman une autre femme, adventiste, de notre connaissance. Des dispositions spirituelles ? Tiens donc ! Elle avait émis ce « diagnostic » après m'avoir emmené au temple :

au cours d'une cérémonie, je me souviens de m'être levé et avoir pris la parole... Pour dire quoi ? Comme souvent, l'impression demeure, mais le contenu s'efface et c'est ainsi que les choses s'impriment en moi, sous la forme de sensations, plus que d'idées. Je me rappelle, à l'époque où mon père était en résidence surveillée, ces chants religieux d'une nuit de Noël, qui m'avaient grandement ému. Mais tout ça n'allait pas plus loin.

Un peu plus tard, un film s'est tourné au Maroc, intitulé *La Septième Porte*. Personne, aujourd'hui, ne doit se souvenir de ce film d'André Zwobada, cinéaste un peu connu pour avoir tourné *Croisières sidérales*, un des premiers films d'anticipation, avec Madeleine Sologne, mais il représente pour moi un moment évidemment mémorable : celui d'avoir pu assister, pour la première fois, à un tournage de cinéma. Il se déroulait à Rabat dans les entrepôts d'un ami que l'on connaissait par ma tante Anne-Marie, sœur de ma mère, venue nous rejoindre au Maroc après la guerre. Une version française de *La Septième Porte* se tournait avec Maria Casarès et Georges Marchal, en parallèle à une version arabe, avec, dans le rôle de Marchal, un antiquaire de Fez nommé Gabsi. Comme il s'était lié à ma tante Anne-Marie, nous revîmes souvent Gabsi, le soir, dans une grande brasserie de la ville, où nous conversions pendant des heures. Il parlait de Dieu, de la grandeur de Dieu. L'appel qui sortait de la bouche de cet homme semblait très profond. Je ne me souviens pas exactement de ce qu'il disait, mais je me rappelle le ton de sa voix. La voix est pour moi le témoignage de ce qui se passe réellement en vous. La voix est quelque chose que l'on ne contrôle pas. On peut se maquiller, se changer, se déguiser, la voix reste la voix, elle vient du fond des tripes, de l'estomac, des poumons. Elle exprime ce que vous êtes. J'ai souvent remarqué que des voix mal placées sont le signe d'un malaise intérieur.

Celle de Gabsi ne mentait pas. Ce musulman mystique m'a donné, le premier, la mesure de l'Être divin. Quand vous faites une vraie rencontre, quand quelqu'un vous dit quelque chose qui vous touche par sa vérité, votre chemin peut bifurquer ; une voie s'ouvre, en tout cas. Plus tard, j'ai retrouvé Gabsi à Paris, il voulait suivre le Cours Simon. Il venait souvent chez nous jouer aux échecs, et nous continuions de parler. J'étais tellement fasciné que je songeais sérieusement à me convertir à l'islam. Un jour, j'osai enfin lui demander comment on devenait musulman.

« Tu fais des ablutions, pour commencer. »

J'allais commencer. J'aurais pu devenir musulman mais là est intervenu un événement qui a orienté ma vie d'une façon différente. Je suis devenu catholique. Comme une évidence, le christianisme m'est apparu essentiellement à travers deux visages : celui d'un père dominicain, rencontré place de Furstenberg, à l'atelier d'art sacré. Ce père parlait de l'art et de la foi, j'étais en pleine recherche, de ces deux côtés, ce qu'il disait me concernait intimement. Et puis le visage de ma future marraine qui me demanda un jour :

« Que cherches-tu mon petit coco ? »

Touché au cœur, je balbutiais.

« Je voudrais trouver quelque chose de vrai, de pur, d'authentique.

— Je crois que c'est Dieu que tu cherches. »

Je me suis converti. J'avais vingt-deux ans. Mon baptême fut une véritable initiation, je pleurais toutes les larmes de mon corps, je disais oui dans une adhésion totale.

Mais mon chemin s'est fait cahin-caha, je n'étais pas, loin s'en faut, un chrétien modèle.

Modèle au sens où l'on rentre complètement dans le jeu de la vie chrétienne, apparemment bien balisée par la pratique : beaucoup de chrétiens vont à la messe chaque jour, se confessent régulièrement. Je ne faisais rien de tel. Je ne priais même pas. Mais je rencontrais des gens fabuleux. Des sommités de théologie, au couvent Saint-Jacques, comme le père Chenu ou le père Congar. Des gens d'une ouverture d'esprit, d'un accueil et d'une gentillesse extraordinaires. J'avais accès à un autre monde. J'étais heureux.

Déjà, pourtant, tout ce qui était bondieuserie me révulsait. J'avais reçu un missel pour mon baptême mais je dus confier un jour au père que je ne pouvais pas supporter ce livre. Il me faisait l'effet d'une bimbeloterie. Il se fâcha : « Ce n'est pas sérieux, ce que vous dites. » C'était sérieux : le signe que je ne parvenais pas à adhérer au milieu pratiquant. La paroisse de mon quartier me paraissait insupportable. Je m'y ennuyais souvent à périr, tout me semblait suranné, le cérémonial s'engluait dans de vieilles histoires et de vieux chants. Mais au fur et à mesure des rencontres, un monde beaucoup plus vaste s'ouvrait à moi. J'ai connu le père Joachim

46

Moubarac, Libanais maronite, à l'église Saint-Séverin, qui est devenu un grand ami. À travers lui, et d'autres encore, je comprenais qu'il existait des gens dont la vie spirituelle ne se bornait pas aux limites d'une pratique : des gens ouverts à l'art et à tous les cultes.

J'ai assisté ainsi aux conférences du fameux père Maurice Zundel, venu de Lausanne, invité par les dominicains. Il prêcha tout doucement l'Avent, à Saint-Séverin, et c'était surnaturel. Ses idées étaient si avancées que l'Église lui avait conseillé d'aller se reposer en Suisse ! L'Église est composée aussi bien de médiocres que de gens fabuleux. Zundel disait que Dieu était la faiblesse même, qu'il n'avait pour lui que son Amour. La grande rencontre de Dieu, disait-il, c'est le Jeudi saint. Ce moment où le Christ a lavé les pieds de ses disciples. Dieu n'est pas sur son trône dans toute la magnificence pleine de naïveté qu'on aime à lui donner. Dieu n'a pas de forme, il ne s'agit pas de le faire parler. Sa forme humaine est le Christ. Dieu est là pour l'amour, c'est tout, libre à chacun de le recevoir. Il n'a pas la toute-puissance de s'imposer. À quelques exceptions près : Paul de Tarse terrassé sur son cheval. Voilà, en substance, ce que disait alors le père Zundel. Dix ans plus tard, Paul VI, qui s'était lié d'amitié avec lui dans sa jeunesse à Paris et connaissait bien ses textes, l'invita à prêcher le Carême au Vatican : il fut réhabilité, et l'on commença enfin à le prendre au sérieux.

Le père Zundel était un tout petit bonhomme frileux et drôle. J'étais si timide que je n'osais pas lui parler. Il était une lumière, de ces grands esprits toujours un peu en avance. Les dominicains sont souvent, eux aussi, prophétiques. Nous en avons la preuve par les prêtres ouvriers qui furent empêchés de donner les sacrements. Ce poids de la tradition est un piège terrible pour l'Église, qui devrait pourtant être comme la vie, mouvante. Il ne s'agit pas de trouver des formules et de s'y tenir sans rien changer, non, il faut que l'esprit avance, qu'il reconsidère et revoie les choses à partir d'une base. Celle de l'Évangile est si vaste qu'il ne semble pas nécessaire de la changer : seulement de la modifier, un peu, à travers quelques mots. Dans le « Notre Père » il y a cette formule : « Que ta volonté soit faite. » Plusieurs ont proposé « Que ton désir soit accompli », ce que je trouve infiniment plus beau.

Le seul filtre de la traduction, du grec, surtout de l'araméen, ou de l'hébreu, ouvre les mots à tellement de sens possibles ! Je lis souvent en public depuis quelque temps *Gethsémani* de Charles Péguy, où il cite les paroles du Christ en latin. Je n'aime pas entendre parler le Christ en latin, car c'est la langue de l'occupant, pas la sienne. Chaque choix de traduction me paraît une limitation. Qu'on songe au *Vade retro, Satanas*, qui ne signifie pas « Arrière », mais, beaucoup plus subtilement, « Passe derrière moi ».

Les mots sont si riches de sens, mais on s'attache à un seul, en se limitant sans cesse. Tout le temps. Il est frappant de constater que les gens construisent leur vie à partir de ceux qu'on leur a enseignés. Je me souviens, enfant, d'avoir entendu parler des juifs de façon très péjorative. *Jewish people* : tout le mépris qui passait là ! Victime de cette transmission d'idées catastrophiques, l'enfant que j'étais pensa qu'être juif n'était pas bien. J'ai heureusement pu me débarrasser de ces préjugés atroces, et au Maroc, quand les petits Arabes se battaient avec les petits juifs, j'étais indigné. Ce que l'on dit aux enfants, quand ils ont cinq à dix ans, s'inscrit sur une plaque vierge. À partir de ce négatif, il n'est pas facile de retoucher la photo, ou, si l'on veut, de refaire page blanche pour écrire son propre texte.

Qu'il s'agisse de mots, de formules ou de principes, la gangue menace toujours. Je remarque combien les gens dits « coincés » s'enferment dans une espèce de forteresse, redoutent de changer, d'aller plus loin, craignant d'être dérangés dans l'ordre de leur vie. Il est pourtant nécessaire de vivre en évoluant. De voir plus grand, plus large, de comprendre autre chose, de ne pas avoir tout établi, à vingt ou trente ans, une fois pour toutes, alors que cette vie a tant à vous offrir. Sans désir de changer — et celui-ci peut parfois provenir d'une catastrophe, d'un malheur, d'une peine, d'un chagrin — chacun risque de demeurer dans son carcan.

J'aurais pu, comme bien d'autres, demeurer dans le mien, à l'époque où mon métier avançait plutôt bien, où je m'exerçais à la peinture. Mes journées les plus heureuses furent celles où je peignais l'après-midi, puis allais jouer le soir : merveilleuse solitude d'une activité manuelle avant le bonheur collectif du théâtre. Je n'avais encore jamais été mis à l'épreuve de chagrins profonds. Les maladies et les morts successives sont arrivées autour de moi quand j'ai atteint l'âge de quarante-deux ans. Je n'étais pas préparé à accepter la mort comme n'étant pas une chose définitive, ce que m'enseignait pourtant ma religion.

Tout était fini. Terminé. J'avais l'impression de mourir chaque fois qu'un être cher partait : ma mère, mon oncle, ma marraine, mes deux tantes. Je devenais un tronc d'arbre dont on a scié les branches. J'ai compris alors combien les êtres aimés font partie de vous, qu'ils sont vous, et le grand vide que leur absence provoque : leur présence, leur affection, leurs paroles. Disparues. Toute votre vie est balayée. Une infirmière m'avait dit que je mettrais cinq ans à m'en remettre. J'ai mis dix ans à accomplir le travail de deuil, je ne supportais plus la vie. Il m'aurait fallu connaître alors cette parole du Dalaï-Lama. Une femme vient le voir et lui dit, en pleurant : « C'est épouvantable, j'ai perdu mon mari. » Le Dalaï-Lama lui répond : « Il est onze heures du matin, prenez tout l'après-midi pour faire le tour du village, frappez à chaque porte, et demandez s'il y a un mort dans la famille. »

Elle a frappé à chaque porte et, le soir venu, elle a pu dire : « Dans toutes les maisons, il y a eu des morts. »

Quand on voit les drames auxquels les gens sont confrontés à travers le monde, massacres et tueries, tortures et emprisonnements, on pense évidemment de soi que l'on est privilégié. Jusqu'au malheur, jusqu'à l'accident, jusqu'à la catastrophe. Je ne dis pas qu'il faille souffrir pour comprendre, mais je crois que l'on peut sortir grandi de l'épreuve.

Le travail m'a sorti un peu du marasme, de ce long sommeil où tout appétit de vivre avait disparu. C'est là que j'ai crié, comme Isaïe dans les Psaumes : « J'ai crié vers le Seigneur et il m'a sauvé. » J'ai hurlé, intérieurement bien sûr, pleuré, supplié : « Seigneur, sauve-moi, je n'en peux plus. »

La réponse est venue le lendemain même : mon parrain était de passage à Paris, et m'a emmené à une réunion charismatique. Deux ou trois ans auparavant, mon père dominicain m'avait déjà conseillé de prendre contact avec ces groupes, mais n'ayant plus envie que de travailler, je n'avais rien tenté dans cette direction. J'allais trouver là une Église qui bouge, avec de vrais prêcheurs, de ceux qui ne lisent pas leur texte mais sont si imprégnés des Écritures qu'ils peuvent parler de n'importe quel sujet. J'ai entendu des gens chanter, louer : il suffit de lire la première Épître aux Corinthiens de saint Paul pour comprendre : tout à coup, un chant sort de vous qui n'est pas fait de mots, qui n'a apparemment pas de sens. Cette pratique était très prisée du temps du Christ :

« *Lorsque vous vous assemblez, chacun peut avoir un cantique, un enseignement, une révélation, un discours en langue, une interprétation. Que tout se passe de manière à édifier. Parle-t-on en langue ? Que ce soit le fait de deux ou de trois tout au plus, et à tour de rôle ; et qu'il y ait un interprète. S'il n'y a pas d'interprète, qu'on se taise dans l'assemblée ; qu'on se parle à soi-même et à Dieu.* »

Le chant en langues fait partie des charismes dont saint Paul donne toute une liste :

« *Il y a, certes, diversité de dons spirituels, mais c'est le même Esprit ; diversité de ministères, mais c'est le même Seigneur ; diversité d'opérations, mais c'est le même Dieu qui opère tout en tous. À chacun la manifestation de l'Esprit est donnée en vue du bien commun. À l'un, c'est un discours de sagesse qui est donné par l'Esprit ; à tel autre, un discours de science, selon le même Esprit ; à un autre, la foi, dans le même Esprit ; à tel autre, les dons de guérisons, dans l'unique Esprit ; à tel autre, la puissance d'opérer des miracles ; à tel autre, la prophétie ; à tel autre, le discernement des esprits ; à un autre, les diversités des langues ; à tel autre, le don de les interpréter. Mais tout cela, c'est l'unique et même Esprit qui l'opère, distribuant ses dons à chacun en particulier comme il l'entend. »*

Le charisme de science consiste à trouver, au hasard de la Bible, le bon passage pour la bonne personne ; le mot, la phrase qui la soulagera de sa souffrance. Le charisme peut aller très loin, jusqu'au miracle. L'abbé Pierre ou mère Teresa ont ce charisme de compassion, ils ont consacré toute leur vie à aider les autres.

« Quand je parlerais les langues des hommes et des anges, si je n'ai pas la charité, je ne suis plus qu'airain qui sonne ou cymbale qui retentit. Quand j'aurais le don de prophétie, et que je connaîtrais tous les mystères et toute la science, quand j'aurais la plénitude de la foi, une foi à transporter les montagnes, si je n'ai

*pas la charité, je ne suis rien. Quand je distri-
buerais tous mes biens en aumônes, quand je
livrerais mon corps aux flammes, si je n'ai pas
la charité, cela ne me sert de rien.*

« *La charité est longanime ; la charité est ser-
viable ; elle n'est pas envieuse ; la charité ne
fanfaronne pas, ne se gonfle pas, elle ne fait
rien d'inconvenant, ne cherche pas son intérêt,
ne s'irrite pas, ne tient pas compte du mal ; elle
ne se réjouit pas de l'injustice, mais elle met sa
joie dans la vérité. Elle excuse tout, croit tout,
espère tout, supporte tout.* »

Dans les soirées des groupes charismatiques,
tout le monde se met à chanter en langue. Ces
assemblées sont traversées comme par une
vague de syllabes surgissantes. Certains, en
assistant à ces pratiques, pensent que ces gens
sont fous. En réalité, il s'agit d'une jubilation
de ce qui ne peut pas être dit. Or, l'une des
choses qui me concernent le plus dans l'existence est sans doute ce qui n'a de mot pour se
dire. Cette part intime en nous, le jardin secret,
peut-être la présence de Dieu, ce dont on ne
peut pas parler. Notre part de mystère. Ce que
l'on ressent là, ni phrases ni récits ne peuvent
le capter. Les mots sont toujours pauvres face

à ce vécu. Et parfois inutiles entre les êtres qui parviennent, sans eux, à un degré de compréhension extrême. J'ai vécu cela avec un sage hindou, passant plus d'une heure avec lui dans un silence recueilli. Ce qu'on ne disait pas était beaucoup plus beau que ce qu'on aurait pu dire...

Je me suis intéressé à sa religion, et à d'autres. Mais je n'ai rien trouvé qui me touche autant que la Parole du Christ. Croire en la Parole est mystérieux. C'est tellement autre chose que de chercher à tout comprendre. Je n'ai jamais pu lire de philosophie, n'étant pas assez porté au travail de réflexion, loin de ce monde de la pensée. Un jour, on m'a demandé de lire, pour un enregistrement sur cassettes, *Ainsi parlait Zarathoustra*. J'ai dû m'arrêter au bout de vingt pages : je m'embrouillais, je m'étranglais, je ne pouvais plus avancer, je ne savais plus ce que je racontais parce que cette pensée me restait extérieure. Je ne comprenais Nietzsche, ni le sentais. J'ai essayé de lire Spinoza, Kant, Schopenhauer. Seul Kierkegaard me donne quelques lueurs. Décidément, mon parcours ne passe pas par la spéculation intellectuelle.

À force de fréquenter la Parole du Christ, je suis arrivé à la certitude qu'il n'y a pas pour moi de plus belles propositions : « Il n'y a pas de plus grand amour que de donner sa vie pour les autres, pour ceux qu'on aime. » Ou encore « Je suis la Vie, la Voie, la Vérité. » Et tout ce que le Christ enseigne ainsi du programme humain, de la compassion, de la vérité, de l'être. Pourquoi chercher à « bluffer » ? Je m'en réfère toujours à cette parole.

J'ai trouvé une dimension supplémentaire chez les charismatiques, celle qui permet justement d'exprimer ce que les mots ne peuvent dire. C'est l'irruption de ce qui n'est pas rationnel, dont parle l'Ancien Testament. Quand j'ai découvert les chants en langue, j'ai compris, rétrospectivement, que j'avais amorcé cette pratique comme acteur, ce besoin vital de faire des sons. Il peut être interprété comme une régression, parce qu'il renvoie au balbutiement du bébé. Pour moi il représente avant tout une extraordinaire liberté. J'ai toujours aimé ce qui relève de la vie animale chez le comédien, occultée par le bien-dire, le bien-phraser, le bien-parler, et je me suis particulièrement accordé avec ces artistes qui cultivent la liberté, comme je l'avais dit un jour, avec humour, à Bertrand Poirot-Delpech : qui pourrait les amener à aboyer !

Ma rencontre avec le musicien Michel Puig, que j'ai connu par l'intermédiaire de Jean-Marie Serreau dans les années soixante-dix, m'a ouvert des horizons insoupçonnables : comment aurais-je pu imaginer pouvoir faire onze qartes avec ma voix ? Puig me faisait faire tout un tas d'exercices vocaux, de grands sons en haut, de grands sons en bas, exploitant toutes les possibilités d'expression sonore, sur les traces de Jerzy Grotowski, ce metteur en scène qui avait radicalement bouleversé les habitudes. Tout ce que le gosier peut émettre, tout ce potentiel de sons qui n'avait jamais servi à rien serait ainsi exploité sur la scène du théâtre musical : vaste territoire à explorer. L'époque était à la recherche de ce genre de choses, aux expérimentations de toutes sortes. Bulle Ogier, avec laquelle j'ai enregistré des émissions de radio à cette période, compare ce travail à ce qui peut exister en médecine ou en physique : des groupes de gens se réunissent comme dans un laboratoire pour réaliser des expériences. Au théâtre musical on n'a d'autre appui que son propre corps.

Maurizio Kagel en fut l'un des pionniers. Et Georges Aperghis l'a beaucoup développé en

France, notamment à Bagnolet où lui avait été confié un lieu. Cette façon d'employer le son et la voix, en dehors du chant, était tout à fait nouvelle. Cathy Berberian, femme du compositeur Berio, n'hésitait pas à chanter Mozart un soir, pour entreprendre des séries de raclements et raclures le lendemain, sans souci d'abîmer sa voix. Luciano Berio, Yannis Xenakis, ou encore Krzysztof Penderecki — qui s'est particulièrement servi de stridences et de hurlements — ont mis l'accent sur cette irruption de la voix humaine hors les balises du chant classique. Jean-Pierre Drouet, Gérard Frémy, Michel Portal, Gaston Sylvestre, Willie Coquillat, parmi d'autres musiciens, improvisaient dans cet univers où la musique et la mise en scène se donnaient la réplique. Je me suis laissé emporter dans cette aventure-là, nouvelle et libératrice comme je les aime.

L'envie de la mise en scène me trottait dans la tête depuis longtemps, mais j'ignorais que j'y arriverais par les sons, plutôt que par les textes. La musique a fait de moi, en 1973, le metteur en scène d'un spectacle intitulé *Sa négresse Jésus* sur un argument de Michel

59

Puig. Il avait imaginé une nouvelle version de *Robinson Crusoé*, le héros débarquant sur une île où il ne trouvait pas Vendredi mais une femme, qu'il allait « coloniser ». J'enchaînais l'année suivante au théâtre de la Cité universitaire, sur une adaptation d'extraits de *Nuits sans nuit*, journal onirique de Michel Leiris — lequel, modeste et amical, était venu, lors d'un filage, nous dire son intérêt et, même, son adhésion.

Je me suis montré plus passif dans la mise en scène de textes au théâtre, en me contentant, la plupart du temps, d'accepter des propositions. Un jour, dans un vernissage, une jeune femme au fort beau visage vint ainsi vers moi : « J'aimerais vous demander si, éventuellement, vous aimeriez me mettre en scène dans *La Voix humaine* de Cocteau. » Cette actrice s'appelait Polia Janska. Elle s'investissait tellement dans un rôle qu'elle ne pouvait plus s'arrêter de pleurer. Quelle fragilité... Polia semblait si perturbée, se montrait tellement extravagante : depuis l'île de Porquerolles où elle séjournait parfois, elle envoyait de grands paquets par la poste avec des cailloux qu'elle avait ramassés sur la plage. Pour tenter d'avancer dans son appartement parisien, on se frayait un mince chemin, encombré de tout ce que Polia y accumulait : bouts de tissu, cailloux...

Après *La Voix humaine*, elle me proposa, deux ou trois ans plus tard, de la remettre en scène dans *Hiroshima*, qu'elle avait déjà joué auparavant. Marguerite Duras était venue voir le spectacle au Lucernaire. Contrairement à Beckett, très strict pour la destination de ses œuvres, Marguerite a toujours accepté l'adaptation de ses textes aussi bien au cinéma, à la radio qu'au théâtre. Puis, je mettrais en scène, d'elle encore, *Agatha*.

Mais ces expériences ne m'ont pas marqué comme celles des mises en scène de spectacles musicaux. Le texte, j'aime le servir avant tout comme comédien. Sans doute parce que, en passant de l'autre côté, j'ai éprouvé de l'agacement quand les acteurs ne parvenaient pas à faire, ou pas assez rapidement, ce que je souhaitais obtenir d'eux. Je supportais mal leurs problèmes, résistant à entrer dans la psychologie d'une telle qui souffrait, qui refusait ceci, ou cela, parce qu'il fallait rester convenable... Il ne faut pas imaginer que l'on est forcément plus compréhensif parce que l'on est des leurs !

Avec Édith Scob, il n'en fut jamais ainsi. Cette comédienne si inspirée connaissait particulièrement bien ces expériences mi-vocales, mi-musicales, puisqu'elle est mariée au grand nom du théâtre musical Georges Aperghis. Je l'ai mise en scène en 1976 dans un spectacle intitulé *Miroir*, dont Michel Puig avait trouvé l'argument musical dans Mozart : une note du *Don Juan*, étirée pendant vingt minutes. À partir d'une idée en l'air, comme souvent, naquit l'histoire de cette femme assise sur un tabouret, avec un bas, ou plus exactement deux bas, enfilés sur la tête. Son visage, complètement inexistant, avait l'apparence d'une espèce de pomme de terre, qui, doucement, va chercher à naître, à devenir justement un visage. Le spectacle était conçu avec trois personnes au premier rang qui tenaient deux lampes de poche, une dans chaque main, autrement dit : six lampes de poche pour éclairer la scène, dans une ambiance quasi psychédélique.

La musique commence de façon lancinante, cette femme/pomme de terre attrape un miroir qui est à ses pieds, un miroir que j'avais apporté, et que j'ai toujours ici. Face à la glace, cette femme va désespérément chercher à se faire une tête, en un combat extrêmement dou-loureux où, doucement, elle va enlever le bas,

par petites étapes, comme des peaux successives que l'on arrache, et voici un demi-visage
qui apparaît, bout de nez, bouche, un œil, puis
deux... Elle reste sur ce tabouret, dans une
lutte de chrysalide, larve devenant papillon.
Finalement, le visage apparaît dans sa totalité,
mais encore plissé, tordu. Posant le miroir, la
femme, avec ses doigts, se sculpte une tête en
essayant de mettre les choses en place : un œil
à remonter, l'autre à déplacer, comme dans un
tableau de Picasso. Et peu à peu, voici que se
construit le beau visage d'Édith. Paisible.
Alors, sur la musique qui se joue à la fois sur
bande et au piano, le visage est enfin trouvé,
naturel et beau, les yeux s'ouvrant lentement.
Le tout s'achève sur un paso doble de la femme
avec le pianiste... *Miroir*, c'est un peu l'histoire
du chemin parcouru de l'incohérence à l'harmonie.

Ce spectacle intéressait des producteurs
portugais. Et voilà notre troupe débarquant à
Lisbonne dans la salle de réunion du syndicat
des marins, transformée en lieu de théâtre
expérimental. Une de ces situations complètement déphasées, en dehors de toute logique
habituelle, que j'apprécie tant. Les Portugais
nous ont filmés, et la télévision a diffusé

Miroir deux jours plus tard. Comment imaginer cela aujourd'hui ? Catherine Dasté reprit le rôle et cette petite performance devait connaître un franc succès, jusqu'à être accueillie par les Renaud-Barrault. Poésie, rêve, ambiances sonore et visuelle s'y mêlaient de façon nouvelle et inattendue. Tous ces moments, et c'est le propre du spectacle vivant, sont si fugaces et pourtant si riches que l'on peut en rester pénétré toute une vie. Le compositeur italien Georgio Battistelli avait monté un spectacle extraordinaire, à partir d'un livre dont il détachait des feuilles sur scène, froissant délicatement les papiers sur une succession de sonorités magiques. Avec lui, nous avons mis en scène trois héros de romans de Jules Verne, interprétés par trois percussionnistes chantant, parlant et racontant leurs aventures. À un moment donné l'un d'entre eux plongeait dans une espèce d'aquarium où il se mettait à faire des bulles.

Cette période, que je revois ainsi, succession de bulles légères, pétillantes et colorées, devait s'achever par une série de complications sentimentales... Notre équipe s'est dissoute, mais j'ai pu heureusement continuer avec Édith Scob à monter des spectacles de plus en plus élaborés, sans oublier tous ceux auxquels Bernadette Onfray fut associée. Chez Cardin, Claude Regy me mit en scène avec Gérard Depardieu, qui n'était pas encore connu, dans un *Isaac* où Gérard apparaissait entouré de rubans à l'heure du sacrifice que son père, Abraham, s'apprêtait à accomplir. Je chantais librement, un peu plus juste maintenant qu'auparavant, mais à peine... Il n'était d'ailleurs pas nécessaire de chanter juste pour se lancer dans ces improvisations vocales, hurlements et sonorités diverses.

Le théâtre musical autorisait l'improvisation complète. Autorisait tout. Au Palace, qui n'était pas encore une boîte de nuit, nous avions donné un concert de pois chiches, crachés du premier balcon par Édith Scob sur une cymbale, au milieu de la scène où se trouvaient les spectateurs : *Le Je quotidien*. Le spectacle musical laisse place au culot, à l'amusement, à la joie que venait partager un public curieux : des gens à la recherche de poésie, de variations audacieuses. Une des vertus du théâtre musical était d'offrir de la musique sérieuse, mais drôle. Alors que la plupart des compositions, à l'exception des opérettes, d'Offenbach, pour ne citer que lui, ne le sont jamais. Faire de la bonne musique qui provoque le rire.

S'amuser, follement, à suivre les mots portés par les sons : prendre pour point de départ la lettre H et enfiler les mots comme des perles... Je me souviens avec bonheur de ce spectacle de Georges Aperghis. Il avait fait un choix dans le *Larousse*, qui nous faisait aller d'« hyperbolique » à « hypertrophie ». Comme nous le jugions trop savant, nous avons mis un peu de fantaisie dans tout cela : H comme « Haendel », H comme « Hitler » — j'avais repris, au sujet d'Hitler, la célèbre phrase de *Baisers volés* : « Hitler, ah oui, le petit peintre paysagiste » —, mais encore H comme « Hallyday », le chanteur, ou « Haddock », le capitaine des *Tintin*. Nous nous sentions extraordinairement inventifs...

Catherine Ringer, que les Rita Mitsouko a depuis rendue célèbre, participa à cette mouvance dès le début des années soixante-dix. Si jeune, elle m'avait fortement impressionné par des moyens d'expression sonore stupéfiants, une voix vraiment étonnante, et nous avons monté avec elle en 1975 un spectacle d'après le très beau *Journal de Bolivie* de Che Guevara, où il évoque notamment ses impressions poétiques en parcourant la forêt. Pierre Bourgeade l'avait adapté, mais son texte était si touffu que nous l'avons largement élagué — c'est le cas de le dire — pour pouvoir mettre ces mots-là en musique. Pierre ne nous en avait d'ailleurs pas tenu rigueur.

Le recteur de l'université d'Alger — ville où se trouvait évidemment une avenue Che Guevara — avait demandé le spectacle : mais quelle ne fut pas la déception des politiques découvrant ce texte du Che, d'où la dimension qu'ils attendaient était quasiment absente ! Ils étaient furieux que l'on puisse se permettre de le montrer ainsi... « Tous les grands révolutionnaires sont des poètes », ai-je rétorqué à un spectateur algérien qui nous fustigeait.

Au cours de cette tournée assez minable, il faut bien l'avouer, une séance fut organisée au conservatoire de musique avec des adolescents. Je redoute toujours un peu les séances avec des enfants, qui peuvent être insupportables. Ceux-ci se révélèrent nos meilleurs spectateurs. L'accueil qui nous fut réservé à Annaba, l'ancienne Bône française d'Algérie, n'a pas démenti le pouvoir universel et ludique de ce genre de travail. Nous étions pourtant censés jouer dans un théâtre de deux mille places, alors que ce spectacle était intime. Qu'importe : nous avons investi le plateau, fermé le rideau de scène, et joué devant. Et voilà que se présentent des dames en robes du soir, que nous faisons asseoir sur des caisses en bois. Embijoutées, prêtes pour la grande tournée Karsenty, elles allaient entendre ces *Fragments pour Guevara*, dans la version poétique que j'avais tentée. Il ne faut pas avoir peur de déranger le public : les belles dames furent complètement séduites.

À l'atelier

« *Victor Hugo dit "Il faut que l'herbe pousse
et que les enfants meurent." Moi je dis que la loi
cruelle de l'art est que les êtres meurent
et que nous-mêmes nous mourions en épuisant
toutes les souffrances, pour que pousse l'herbe
non de l'oubli mais de la vie éternelle, l'herbe drue
des œuvres fécondes, sur laquelle les générations
viendront faire gaiement, sans souci de ceux
qui dorment en dessous, leur "déjeuner sur l'herbe".* »

Proust, *Le Temps retrouvé*.

L'expérience m'a prouvé que la magie pouvait surgir d'un tout petit rien. Faire des œufs au plat sur le *Requiem* de Mozart : les œufs prennent une dimension surnaturelle. Comme la lumière, la musique donne une consistance particulière aux choses, une valeur poétique à un objet qui n'en a pas. Je le pose dans un décor, il s'accorde, et le tout est transcendé.

Sans être complètement minimaliste, je préfère les univers dépouillés, la simplicité, qui laisse place à l'imagination, à l'inventivité. Mon appartement, où fut tournée la scène du déjeuner de *Baisers volés* — puisque Truffaut voulait absolument une vue sur la Tour Eiffel —, devait servir plus d'une fois de caverne d'Ali Baba pour les décors improvisés de nos spectacles. Tout est sujet à métamorphose : la roulotte miniature appartenant à l'un des enfants de Michel Puig devenait une caravane pour le décor du *Journal* du Che dans la brousse. Je me souviens que Marianne Mathéus venait toujours répéter avec un énorme poncho : posé sur une table, il se transformait en boîte aux lettres. Sur la moquette de ce salon, nous avons même préparé le décor de l'opéra de Charles Chaynes *Erzsebet*, sur un livret de Ludovic Janvier, que j'ai mis en scène en 1983, à l'Opéra-Garnier, en lever de rideau de *Paillasse* de Leoncavallo. Nous avions comme deuxième assistant mon ami Michel Archimbaud, devenu depuis l'un des éditeurs les plus atypiques de la place de Paris.

Dans *La Vie mode d'emploi* de Georges Perec, monté au festival d'Avignon, nous étions plusieurs comédiens, dont Bernadette Le Saché et Christian Rist, à jouer le texte dans différentes pièces d'une maison. Les spectateurs entraient, passaient d'un lieu à l'autre, un peu perdus, mais se laissaient prendre bientôt par la surprise, les yeux grands ouverts comme ceux des enfants. J'avais confectionné une petite vitrine, dans le coin d'un salon, pour évoquer l'ambiance du roman : il y avait un bouchon, un mégot, une épingle à cheveux. Et devant chaque objet une étiquette :

« Dernier mégot qu'a fumé X avant de mourir... »

« Bouchon qui a servi à inaugurer la fête de Y... »

« Épingle à cheveux qu'a laissé tomber Z... »

Nous avions ajouté au décor un album de photos de famille, déniché aux Puces, devant lequel une jeune femme resta assise toute la soirée à contempler, dans une espèce de rêverie, ces photographies anciennes. Peut-être croyait-elle y reconnaître les personnages de Perec, sait-on jamais ce que viennent chercher les gens...

71

Les décors de théâtre : pourquoi pas ? En arrivant du Maroc à Paris, j'étais si complexé par mon inculture que je n'osais m'inscrire à un cours de théâtre. J'avais entendu parler de celui de la rue Blanche, qu'il était possible d'intégrer soit comme élève comédien, soit comme élève décorateur. Comme j'avais déjà commencé à peindre, la deuxième entrée me paraissait plus accessible. Je me présentai donc à l'examen : il s'agissait de réaliser plusieurs types de travaux, depuis la copie d'un Arlequin de Picasso jusqu'à une rédaction sur un auteur dont je n'avais jamais entendu parler, ce qui me valut de rendre copie blanche ! Nous devions aussi fabriquer les costumes et les décors d'une pièce, au choix, de Marivaux, de Racine ou d'un nommé Jarry... Je ne connaissais aucune des trois, c'est dire, et me suis alors retourné vers les autres :

« *Ubu roi*, c'est quoi ?

— Un type complètement dingue, un roi de Pologne, un univers farfelu... »

Ignorant tout, donc, de la pièce et plus encore des fameux dessins d'Alfred Jarry, je me lançai dans les maquettes des décors et les costumes d'*Ubu roi*. À ma stupéfaction, trois jours plus tard, je reçois un coup de téléphone m'annonçant que j'étais reçu : premier. Je n'avais pourtant pas plus de formation dans ce domaine que dans un autre mais ma sensibilité à tout ce qui est visuel a dû jouer en ma faveur. La peinture, déjà, tenait une grande place dans ma vie.

Lorsque j'étais enfant, une amie de ma mère m'avait offert un livre avec des aquarelles de Cézanne en noir et blanc. Une autre m'a montré un jour des reproductions de Rouault. Curieusement, cette personne était très religieuse, et ce hasard a dû favoriser le lien indissociable qui s'est créé pour moi entre l'art et la foi, entre le beau et le divin.

Je me rappelle l'hiver 1948-1949 passé à Londres, auprès de mon père. Il y faisait froid, et je n'avais pas d'argent. Alors je me suis rendu chaque jour au chaud, deux mois durant, à la National Gallery : c'est au milieu de ces trésors que s'est ouvert mon musée personnel, les primitifs italiens, Velasquez, Piero della Francesca, Titien, Rembrandt...

J'ai ici quelques œuvres, qui sont loin de former une collection ! Une gravure de Bellmer, des lithographies de Veira da Silva... Je ne les mets jamais à la lumière pour que les couleurs ne passent pas. Les tableaux doivent rester dans l'ombre. De toute façon, je n'aime pas avoir les choses trop longtemps devant les yeux : on finit par ne plus les regarder. Je préfère prendre rendez-vous avec les œuvres.

Pour un anniversaire, ma tante Anne-Marie m'avait offert une boîte de peinture : « Pour que tu te souviennes de nous quand nous ne serons plus là. » Je n'avais pas aimé cette phrase, je ne savais pas encore combien douloureusement je la vivrais. Quand ma mère est tombée malade, j'ai cru que je ne peindrais plus jamais. Il s'est passé tout un temps sans que je touche un pinceau, et c'est revenu, soudainement, lors d'un voyage en train il y a trois ans. Je remplissais une grille de mots croisés quand mon crayon a commencé à déborder tout autour. Je me suis remis à griffonner, puis à dessiner, avec désir, plaisir, de nouveau. J'ai repris ma boîte de peinture. Toujours la même.

Très jeune, je peignais ici pendant des journées entières, sur la moquette, sans chevalet. Ma cousine et moi nous dessinions mutuellement. J'ai eu la chance de bénéficier des conseils de ma tante Janine Arland, et de rencontrer, à mon arrivée à Paris dans les années cinquante, des peintres comme Atlan et Bazaine : j'ai pu leur rendre visite à leur atelier, écouter ce qu'ils disaient de la peinture. Atlan était un juif de Constantine, très lié à mon oncle Marcel Arland, chez lequel il venait souvent à la campagne. Atlan avait un véritable don pour imiter les gens et un bagou formidable. Avant d'être connu, il avait vendu des cravates dans le métro ! Bazaine, lui, m'a tout appris du rapport à la matière. Comment la travailler. Je l'ai connu par l'intermédiaire du père Régamey, ce dominicain qui a tant compté dans ma vie. Bazaine m'a donné de très bons conseils, en corrigeant sans relâche mon travail. « Regardez comme ce trait ne va nulle part, ne signifie rien, n'est pas vécu ! » J'entends encore ses paroles.

J'ai fait ma première exposition dans une petite galerie de la rue Saint-André-des-Arts, en 1957. La nièce de François Mitterrand, Marie-Pierre Landry, l'avait vue et me proposa d'exposer au Bateau-Lavoir, rue de Seine, galerie dirigée par Mira Jacob. La préparation d'une exposition est toujours un moment exaltant mais, avec ou sans cette perspective, je peins ces images nécessaires à ma vie, je peins sur papier, dans ce décor qui n'a jamais été aménagé en atelier, je peins, et des cartons entiers se remplissent... Je n'ai jamais cherché à faire carrière en peinture, j'ai vu trop de jeunes peintres brisés. Sommés d'adapter leur travail aux exigences de la tendance sous peine d'être abandonnés par leur galeriste...

Au moment où je m'interrogeais sur mon avenir de comédien, j'étais allé trouver, une fois encore sur le conseil du père Régamey, le grand Alain Cuny qui me reçut dans son appartement de la rue de Bourgogne. Apprenant que je peignais, il me dit ceci, de sa voix profonde :

« N'allez pas faire ce métier d'histrion ! (Je ne savais même pas ce que voulait dire le mot à l'époque.) Non, non, jeune homme, jetez-vous dans la peinture : c'est là que vous ferez des choses. »

Comme je savais qu'il était aussi peintre, je me suis risqué à lui demander pourquoi lui-même n'avait pas mis en pratique le conseil qu'il me donnait...

« Oh, moi, répondit-il dans un soupir, je n'ai pas les capacités. »

Une phrase de Beckett, dans *Comédie*, je crois, dit :

« Suis-je seulement vu... »

Autrement dit : reconnu. Comment faire sans ce regard des autres, qui vient vous rassurer, et parfois même vous permettre simplement de respirer... À peine a-t-on posé la question que le nom de Van Gogh immédiatement s'impose, lui que jamais personne n'a reconnu de son vivant. Lui pour lequel tout est arrivé trop tard, je comprends qu'il se soit tué. Quand j'ai appris, dans le beau livre de Viviane Forrester, que les tableaux qu'il avait donnés pour payer sa pension avaient servi de cibles pour jouer aux fléchettes dans les cafés, ou encore de portes pour des poulaillers ! L'œuvre de Vincent ne voulait RIEN dire pour les gens de son temps. J'ai eu l'occasion d'enregistrer sur cassettes les lettres à son frère Théo, si bouleversantes. On y sent tellement fort cette obstination à peindre, tous les jours, tous les jours.

« *Si ce que l'on fait donne sur l'infini, si on voit le travail avoir sa raison d'être et continuer au-delà, on travaille plus sereinement.*

« *Or cela, tu l'as à double raison. Tu es bon pour les peintres et, sache le bien, plus j'y réfléchis, plus je sens qu'il n'y a rien de plus réellement artistique que d'aimer les gens. Tu me diras qu'alors on ferait bien de se passer de l'art et des artistes. Cela est d'abord vrai, mais enfin les Grecs et les Français et les vieux Hollandais ont accepté l'art, et nous voyons l'art toujours ressusciter après les décadences fatales, et je ne crois pas qu'on serait plus vertueux pour cette raison qu'on aurait en horreur et les artistes et leur art. Maintenant je ne trouve pas encore mes tableaux bons assez pour les avantages que j'ai eu de toi. Mais une fois que cela sera bon assez, je t'assure que tu les auras créés tout autant que moi, et c'est que nous les fabriquons à deux...*» (Lettre du 17 septembre 1888.)

Ce besoin d'exister, est-ce de l'orgueil ? J'aurais été si malheureux de ne pas être reconnu du tout dans ce métier de comédien, je vois tant de brisures chez de jeunes artistes qui voudraient devenir des vedettes de cinéma ou de théâtre. Les gens ont besoin d'exister comme ils peuvent, à chaque étape de leur vie, et jusqu'au plus grand âge : si l'humanité les rejette, si personne ne leur parle plus, c'est un drame. C'est celui de beaucoup de personnes âgées. Incapables de faire le moindre mouvement vers l'autre, certains êtres en ont perdu jusqu'au goût, et sombrent dans un isolement incroyable, total, dans une misère humaine redoutable.

Les critiques, les amis, et, le plus souvent, à propos de mon travail au théâtre, m'ont permis d'entendre cette simple phrase : « C'est bien, ce que tu fais. » Simple mais capitale, parce qu'on ne peut jamais être sûr du résultat lorsqu'on se lance. La reconnaissance professionnelle m'a rendu très heureux, pourquoi le cacher ? Il s'agit de ne pas tomber, ensuite, dans la vanité. Ce n'est pas trop mon genre, peut-être parce que je garde un fond anglais de retenue qui me tient un peu éloigné de tous ces signes extérieurs auxquels d'autres sont beaucoup plus sensibles : manifestations d'enthousiasme, hurlements, salves d'applaudissements. J'ai même un peu peur chaque fois que cela arrive. Quand j'entends certaines personnes me dire que je suis très intimidant, cela me paraît un comble ! Moi, intimidant ? Peut-être les gens timides sont-ils intimidants...

Il existe un autre type de reconnaissance, celle de la rue, qui peut apporter son lot de surprises. Un jour, un monsieur m'aborde dans le métro :

« Que faites-vous ici ?

— Je prends le métro, comme tout le monde.

— Je suis très déçu. Je croyais que vous vous déplaciez dans une Rolls Royce, avec chauffeur. Vous aimez le métro ? Cet endroit qui pue ?

— Mais oui, monsieur. »

Et de lui expliquer à quel point le métro est un lieu riche pour observer l'humanité ! C'est une partie du métier d'acteur que de saisir une manière de bouger, une façon de parler, un geste. Je me sers beaucoup de cet acquis, glané ici ou là, si précieux pour jouer. Mais on ne peut rien contre cette image exagérée que les gens ont de vous...

Quand ils ne vous prennent pas pour un autre !

Pendant un long trajet, un chauffeur de taxi ne cessait de me regarder dans le rétroviseur en murmurant plusieurs fois pour lui-même : « Ben, ça alors ! Oh ben, ça alors ! Quand j'vais dire ça à ma femme. » Arrivé à destination, il a sorti un petit carnet en me disant : « Dites, monsieur Galabru, vous me feriez une signature ? » Sans relever, j'ai pris son carnet et signé : Michel Galabru.

Pardon, Michel, mais il était si content de « nous » transporter...

Une autre fois, en sortant du TNP un soir, un monsieur m'aborde d'une manière un peu grave :

« Vous êtes bien Jean Rochefort ?

— Non, monsieur, je ne suis pas Jean. »

Après un temps de réflexion :

« Vous en êtes sûr ?

— Je ne suis pas sûr de tout, monsieur, mais de certaines choses : ainsi, je puis vous assurer que je ne suis pas Jean Rochefort. »

Il est parti très déçu.

Ce que chacun voit en l'autre... Je suis accoutumé à faire naître des réactions de surprise, sans doute parce que j'ai occupé dans ma vie des emplois si variés... Et quand ils me reconnaissent à la sortie d'une bouche de métro, dans l'un des lieux de la capitale où la communauté charismatique dont je fais partie a l'habitude d'évangéliser, certains sont pour le moins étonnés. Dans ce large spectre d'activités, la peinture occupe une place à part. Elle a toujours été, et demeure, mon jardin le plus secret.

Il y a quelque chose qui se joue dans la peinture et seulement là. Quelque chose que je ne puis exprimer nulle part ailleurs, et je suis alors peut-être au plus proche de moi-même. Et de mon enfance. Mes yeux se sont remplis des couleurs des paysages marocains. La flore marocaine, ces fleurs rouges et violettes qui pendent le long des maisons blanches sous le ciel bleu de Rabat. Une profusion de taches violentes de toutes les couleurs, grappes de géranium, cactées grasses et brillantes. Les motifs et les couleurs de la montagne que l'on découvrait sur les draperies que les marchands de tissus rapportaient de l'Atlas. Les couleurs superbes des Berbères, ces bleus, tout un monde... J'ai aussi en moi toutes ces plantes aquatiques que j'ai pu voir sur la Côte d'Azur, plantes mouvantes, avec leurs ondulations douces, sous l'eau, éclairées par la lumière du soleil, plastiquement, tout cela m'a beaucoup frappé. Je peins sans arrêt des fleurs, elles poussent à la lumière. Mon motif est le paradis peut-être. L'intimité du cœur, l'endroit où il ferait bon vivre, dans l'harmonie des tons. J'invente des Éden aux couleurs différentes.

Je crois que c'est la découverte de l'art qui m'a mis sur le chemin de la religion, les deux ne devenant plus qu'un, et le tout faisant sens. J'avais commencé à peindre au Maroc, mais le véritable déclic s'est produit à notre retour à Paris, après-guerre, lorsque j'ai rencontré le père Régamey qui dirigeait avec le père Couturier la *Revue de l'art sacré*. On doit beaucoup au père Couturier, qui était déjà bien malade quand je l'ai connu : il a tant lutté pour débarrasser l'art religieux de la bondieuserie, bataillé au sein de commissions sur les monuments historiques pour la chapelle de Matisse à Saint-Paul-de-Vence, notamment.

Quand j'ai commencé à connaître les richesses de l'art chrétien, j'ai compris que je trouverais davantage ma voie dans cette religion que dans l'islam, où l'on n'a pas droit de figurer quoi que ce soit, où l'on reste dans l'abstraction. Où le rapport à Dieu, aussi, est avant tout vertical. Il ne s'agit pas tant des autres, ou de songer à guérir sur cette terre. Si l'on meurt, qu'importe. Allah tout-puissant et miséricordieux en a décidé ainsi. Cette approche ne comblait pas mes aspirations. Et puis j'étais particulièrement sensible à cette vision de l'art chez les chrétiens, promu témoignage de la beauté. La beauté étant un des attributs de Dieu, j'ai peint, encore et encore...

En me parlant de la foi et du sens de Dieu, le père Régamey m'a mis vraiment sur le che-

83

min. Il fut mon père spirituel, c'est-à-dire, après le temps de l'instruction religieuse donnée au catéchumène, mon conseiller religieux, mon confesseur, et mon ami. Il se rendait dans les ateliers d'artistes chrétiens parmi lesquels il se faisait beaucoup d'ennemis, en essayant, quand il le fallait, de leur montrer que leur travail n'était pas beau : « Ce que vous faites est effroyable », disait-il.

À mon tour j'ai l'impression de déranger certains de ces artistes chrétiens, en exprimant ce qui ne plaît pas toujours. « Telle peinture a été faite dans la prière », me disent-ils. Et alors ? On ne prie pas pour peindre bien !

On reçoit un don de Dieu, un cadeau du ciel, il faut le laisser vivre en soi, ne pas l'abîmer.

Dans certains milieux religieux, j'ai souvent constaté que l'artiste, en tant que tel, dérange. Désordonné, il n'a d'autre règle de vie qu'obéir à son inspiration. Hors-la-loi en quelque sorte. Aurait-on reçu Van Gogh à sa table ? Personnage grossier, inconvenant, mal lavé, tenant des propos absolument incompréhensibles, presque sauvages. Le génie s'inscrit souvent chez des gens infréquentables, ou peu recommandables, égoïstes, invivables. Mais ils ont la grâce. Il y avait en Van Gogh cet homme qui voulait être pasteur, désireux d'évangéliser son prochain, dans les cafés, dans les villages, un homme qui voulait vivre l'Évangile à la lettre : s'occuper des enfants, et loger les putains chez soi. Sa vision du monde était simple, et juste. Je ne saurais pas dire où se situe le rapport entre le mysticisme de Van Gogh et sa peinture, venue tard dans sa vie. Je sais seulement regarder comment il a peint les étoiles, comment il fut un visionnaire ; dans ses tableaux, le ciel commence à bouger, le cosmos est présent, il ne s'agit pas là des beaux cieux de Poussin, non, mais de l'univers en mouvement. Van Gogh a peint des portraits de vérité. Il n'a pas cherché à transposer. Van Gogh, c'est la vérité simple.

Que peut dire l'Église face plus aux grands artistes, qui furent aussi des crapules finies, des assassins ? Caravaggio, ce bandit qui se bagarrait tous les soirs dans les tavernes de Rome, tuant sa femme et l'amant de sa femme. L'Église accepte bien Michel-Ange, qui a fini sa *Pieta* de Saint-Pierre de Rome à vingt-cinq ans, et mené une vie de patachon.

Et Verlaine ? L'auteur des plus beaux poèmes sur la Vierge Marie... L'Esprit s'incarne là où Dieu veut. L'artiste, le grand, est toujours un prophète, toujours en avance. Un jour, Chagall a peint une vache verte dans le ciel et la vision du monde en fut changée. Il ne peut y avoir de vache verte dans le ciel, disait-on. Si, répondit l'artiste : regardez. Toute logique était bannie, chacun en éprouva gêne et désarroi, les esprits cartésiens devraient se défaire de leur raison. On ne comprend pas que surviennent des couleurs là où il n'y en avait pas. Comme on refuse ces mots qui viennent se mettre à la place d'autres mots : Teilhard de Chardin fut interdit parce que l'on ne comprenait pas encore ce qu'il disait. Au Vatican, les esprits qui troublent sont mis en quarantaine.

Il a fallu bien du temps pour que les anges puissent être figurés plus grands que la Vierge, pour accepter que cela fût possible, parce que les anges, oui, bien sûr, font partie de la Trinité. Quand Rouault peint une tête de Christ, on la croirait tout droit venue de l'art africain, et son tableau a beaucoup choqué. Mais c'est une des plus belles têtes de Christ de l'art moderne.

Quand on voit les œuvres du Moyen Âge, on est ébloui par cette simplicité absolue : aucune prétention, pas de signature, il s'agit seulement de peindre la Vierge ou le Christ « comme ils sont ». C'est le prêtre — et peintre — André Gence qui m'a fait comprendre cela, que les chapiteaux de Vézelay ou la *Pieta* d'Avignon montrent si bien. L'art roman demeure à mes yeux le plus beau. Par la suite, l'interprétation va dominer et l'on sombrera dans le geste pieux, le théâtral, le baroque. Tout se charge inconsidérément. Quelques grands peintres demeurent à l'abri de cette surcharge grotesque où Dieu surgit de petits nuages en haut du tableau, avec sa tête ornée d'une grande barbe blanche ! Quand il se met à délirer, le Greco, par exemple, demeure sublime, avec ces anges en apesanteur. Quand à Rembrandt, il reste pour moi le modèle absolu de l'art pictural : une connaissance intime de Dieu, de l'Évangile. Mon oncle Arland me racontait l'incroyable liberté de ce peintre, qui, en plein succès, alors qu'il aurait pu se contenter de peindre les grands portraits de ces bourgeois hollandais, a suivi son désir profond : abandonner tout cela, renoncer à l'argent pour répondre à une nécessité intérieure. Marcel avait du goût pour ces êtres-là, et me l'a transmis. Je suis infiniment sensible aux trajectoires de ces gens prêts à tout sacrifier pour un appel intérieur.

Quand Rembrandt, très âgé, peint *Le Retour de l'enfant prodigue*, il signe à mes yeux un des plus beaux tableaux qui soient au monde. La tête de son vieillard est indéfinissable, au-dessus de tout. Et ce fils, qui était parti, qui a tout dépensé, tout gâché, revenant penaud chez son père. S'agenouillant devant lui, posant la tête sur son ventre. Alors le vieillard le serre contre lui, et l'on voit ses deux mains posées sur les épaules du fils. Une main féminine et une main masculine. Rembrandt est le génie absolu en peinture. Quand je vois *La Fiancée juive*, ou encore les différentes versions des *Pèlerins d'Emmaüs*, je suis transporté par ce degré de magie que peut atteindre l'esprit, une vérité qui touche le fond de l'âme humaine.

Cette vérité peut passer par un autre chemin que celui du regard strictement défini par les yeux. Sur mon parcours religieux, une personne a compté d'une façon essentielle : celle qui allait devenir ma marraine. Cette amie extraordinaire, joyeuse, profonde, m'a beaucoup aidé à franchir le pas. Il faut bien dire que j'étais toujours un peu à la traîne. Un peu « mou ». Ce mot, si souvent entendu lorsque j'étais plus jeune, comme il me blessait !

Denise était aveugle. Ma tante Anne-Marie l'avait rencontrée à Saint-Séverin, un jour de pluie battante, où les gens restaient à l'abri à la sortie de la messe, attendant l'accalmie pour reprendre leur chemin. Cette femme a parlé à ma tante, comme elle le faisait naturellement avec tout le monde. De retour à la maison, Anne-Marie m'a dit : « J'ai rencontré une femme étonnante, tu devrais aller la voir, je lui ai parlé de toi, elle serait contente de te connaître. » Il faut dire que j'étais en pleine recherche à ce moment-là. J'ai accepté d'aller à sa rencontre et ce fut un véritable coup de foudre.

Denise était une femme d'une luminosité incroyable : elle ne voyait pas avec ses yeux, mais en réalité voyait bien davantage à travers les gens. Femme d'un officier de marine, et mère de quatre enfants, elle était enceinte du quatrième quand elle a perdu la vue pendant la guerre, en Algérie, à la suite d'une baignade dans une eau stagnante, ce qui est extrêmement dangereux dans les pays chauds. Elle s'était plongée dans un bassin et avait été la victime d'une de ces petites bestioles qui entrent sous la peau et s'attaquent à un centre nerveux.

Je me promenais souvent avec Denise dans Paris, dans des arrière-cours, au hasard des rues. Je la guidais et nous marchions comme dans un rêve. Elle me demandait toujours de ne lui décrire que ce que j'aimais bien. Je l'emmenais parfois au musée. En visitant une exposition de peintres impressionnistes, nous sommes tombés devant une toile représentant un oiseau couché dans la neige, sans doute abattu par un chasseur. Je lui décrivais l'oiseau, couché comme sur un coussin d'air. Une autre amie lui ferait plus tard une description toute différente du tableau : « L'oiseau semble lourd. »

« Finalement, lui ai-je demandé, qu'est-ce que tu "vois" ?

— Je ne "vois" rien du tout, me dit Denise en riant, mais c'est la façon dont tu racontes qui me touche. Quand tu décris des choses que tu aimes bien, je les vois, quand tu ne les aimes pas, je m'ennuie. » C'est la chaleur de la voix qui lui permettait de regarder... avec son oreille.

Il y a autant de façons de voir que d'êtres humains. Autant de risques de juger, aussi. Je m'efforce toujours d'éviter tout jugement : condamner les actes répréhensibles est indispensable, mais il est indispensable de ne pas confondre l'acte et la personne, de ne jamais en arriver à traiter quelqu'un de salaud ou de dégueulasse. Séparer le mal de la personne est aussi une façon de regarder, celle qui sous-entend que chaque personne, en tant que créature de Dieu, est sacrée.

Pour moi, je crois regarder d'abord et avant tout la lumière : celle qu'il y a dans les choses, et celle, intérieure, qui émane des êtres. Cette lumière surgit dans un moment de vérité. Elle vient soudain quand quelqu'un raconte une chose qu'il a vécue, ou quand il est traversé par le désir.

Visites...

Au Paris des années cinquante

« Nous portons deux ou trois chants,
que notre vie passe à exprimer. »
Marcel Arland, *Antarès*.

Dans cette époque de la jeunesse où l'on est capable de se passionner pour bien des choses à la fois, j'étais autant absorbé par ma quête religieuse qu'épris de peinture et de cinéma. Pour chacun de ces domaines, j'ai eu la chance, en arrivant à Paris, de profiter d'un entourage privilégié qui m'ouvrit tout un monde de culture auquel je n'avais pas eu accès jusque-là. Car si mon enfance marocaine fut merveilleuse, elle se déroula quasiment sans instruction. Élevé très librement, je n'ai suivi que les petites classes, puis quelques cours en pointillé, selon les périodes. J'étais nul en mathématiques, incapable de comprendre à quoi j'avais à faire. On peine toujours à me croire lorsque je raconte cette scène illustrant mon ignorance. Elle est pourtant véridique :

« Combien font 2 et 2 ? me demanda un jour le professeur, en me mettant les deux chiffres sous les yeux.

— 22 », répondis-je le plus sincèrement du monde.

On peut en rire, mais à l'âge où je l'ai éprouvée, cette impression d'idiotie totale avait quelque chose d'assez traumatisant.

Pas d'école régulière, pas, ou peu, de lecture de classiques, mon itinéraire suivrait des sentiers beaucoup plus hasardeux. Adolescent, je fus pris d'une boulimie de romans policiers que je satisfaisais grâce à un abonnement dans une librairie de la Médina de Rabat où, pour 3,50 francs, je pouvais échanger les livres tant convoités. J'ai lu ainsi toute la collection jaune du « Masque », en me réveillant à cinq heures du matin, et cachant vite ensuite les romans sous le matelas. Un jour, ma mère vit l'un de ces livres :

« C'est à toi ça ? Mais qu'est-ce que ça fait là ?

— Je suis en train de le lire.

— Mais pourquoi le caches-tu ? Ça n'est pas grave ! »

Et moi qui étais persuadé de me livrer à une activité peu reluisante, au lieu de lire Balzac. Que j'ai, finalement, très peu lu ! Son univers si féroce, où se révèlent surtout les travers humains, ne m'attire guère.

Je n'avais de goût alors que pour Agatha Christie et Stanislas-André Steeman. Sans oublier Sax Rohmer : son docteur Fu Man-chu, un Chinois qui habitait Londres, me faisait frissonner jusqu'au fond des entrailles. Cette passion m'a quitté en même temps que je quittais le Maroc. Je n'ai jamais plus retrouvé cet intérêt pour le genre policier dans mes lectures, mais il s'est prolongé au cinéma : en voyant les films américains des années quarante, *Le Faucon Maltais*, *Le Port de l'angoisse*, je renouais avec ces frissons, je savourais le plaisir secret de se faire peur, au nom duquel on a fait couler tellement d'encre et tourner tant de mètres de pellicule. Curieusement, le genre policier est une spécificité anglaise : Hercule Poirot et Sherlock Holmes sont nés outre-Manche. Est-ce qu'au milieu de tant de puritanisme ce genre d'effroi servait d'exutoire ? En évoquant ces lointaines lectures, un personnage de l'écrivain anglais Gilbert Keith Chesterton, auquel je n'avais plus pensé depuis si longtemps, me revient en mémoire : Father Brown était un religieux doué d'un talent de détective remarquable ! Chesterton avait pris pour modèle un prêtre qu'il connaissait, et c'est ainsi que sont nées ses fameuses *Histoires du père Brown*.

Beaucoup plus tard, je retrouverais cet univers comme acteur : *Il était une fois un flic* de Georges Lautner, *Le Chacal* de Fred Zinnemann, déjà cité et bien d'autres encore. Mon métier m'a donné l'occasion d'être en quelque sorte partie prenante de ce monde du polar qui avait tant compté dans mon adolescence... Jusqu'à ce plongeon tout récent dans la tradition bien française d'un Gaston Leroux, et son fameux *Mystère de la chambre jaune*, revisité par le jeune Bruno Podalydès qui a transposé l'action, située en 1898, dans les années vingt. J'ai aimé jouer ce personnage de savant un peu distrait qui invente toutes sortes d'appareils bizarres à la Tinguely, et découvre un soir sa fille Mathilde baignant dans son sang au milieu de la chambre jaune : celle-ci n'a pas d'issue. Par où a bien pu passer le coupable ? Le charme pur du mystère...

À notre arrivée en France, en 1947, notre première demeure se situait à Meudon-Bellevue, dans la superbe avenue du Château qui monte à l'Observatoire, une sorte de cathédrale d'arbres qu'on n'avait pas encore coupés : ma première vision heureuse de ce pays où j'étais né sans jamais y avoir vécu. Mon père, démobilisé au retour de la campagne d'Italie et de Yougoslavie où il avait été blessé, et qui travaillait alors à l'Unesco à Paris, était entré en relation avec un certain René Bizet, journaliste et écrivain, collaborateur de journaux de droite — si ma mémoire est bonne. C'est lui qui nous loua cette maison de Meudon. Après sa mort, sa veuve nous permit d'y rester. Il y avait là une collection extraordinaire de disques 78-tours grâce à laquelle j'ai pu approcher la musique dont j'ignorais tout. Cette maison abritait aussi une bibliothèque particulièrement bien fournie que je me mis à explorer sans limites. Je me souviens d'un petit carnet où je notais toutes mes lectures. Il m'arrive de me demander si cette manie de faire des listes de livres, de films, ne me viendrait pas de mon grand-père, auteur de dictionnaires...

Je dévorais avec volupté, de Sacha Guitry à Mark Twain, sans parvenir à me mettre à

Dumas (toujours pas d'ailleurs), mais faisant mes délices de Flaubert... Moi qui ai toujours un peu peur de relire, par crainte d'être déçu, combien de fois ai-je repris *Un cœur simple* ? Et *Madame Bovary* ?

Je me souviens très précisément du jour où j'ai découvert le style : je lisais un passage de Lamartine. Avant même d'en avoir achevé la lecture, j'allai, dans un élan d'enthousiasme, trouver ma mère : « Que c'est beau, que c'est bien écrit ! »

C'est dans cette maison de Meudon que sont venus nous voir les Arland, mon oncle Marcel et ma tante du côté maternel, Janine, avec lesquels nous devions nouer des liens très proches. On se souvient de Marcel Arland comme pilier de la *NRF* mais pas assez de l'écrivain : ses livres sont trop oubliés et c'est dommage. Il avait obtenu le prix Goncourt, dès 1931, pour son roman *L'Ordre* et la reconnaissance publique qui s'ensuivit a beaucoup compté au regard de son parcours : Marcel venait en effet d'une famille très modeste, son père était mort quand il avait trois ans et sa mère resta toute sa vie veuve et inconsolable.

Malgré peu de moyens, elle avait réussi à offrir à son fils de quoi suivre des études où il allait briller. Dès les petites classes, il s'était montré un élève modèle.

Marcel était natif d'une région froide, la Haute-Marne. En hommage, son village de Varennes-sur-Amance a été rebaptisé du nom d'un de ses livres : *Terre natale*. L'univers littéraire de Marcel Arland bruissait de cette nature, du frémissement des feuilles, et transportait autant d'images de son pays natal que, plus tard, de la Bretagne et de l'Auvergne, autant de paysages qu'il appelait ses « hauts lieux ». Il prenait beaucoup de photographies au cours de ses promenades. Je me souviens de l'une ou l'autre, où on le voit au pied de ces grands arbres qu'il aimait tant, avec sa femme. Janine Arland, l'une des trois filles de mon grand-père maternel, était peintre. Élève de Maurice Denis, elle m'a grandement fait bénéficier de cet enseignement : elle me « corrigeait », comme on dit.

Devenu professeur de lettres, Marcel avait collaboré à la *Nouvelle Revue française*, puis l'intégra à part entière après la Seconde Guerre mondiale, quand elle fut rebaptisée *Nouvelle Nouvelle Revue française*. Il lui a consacré tout son temps, elle était toute sa vie. Il fut atrocement blessé quand on l'a remercié. Tout autour de lui tournaient davantage de personnes intéressées par sa position dans le milieu littéraire que de véritables amis ; heureusement, il en resta quelques-uns. Marcel Arland était un homme discret mais passionné. J'allais apprendre à bien le connaître, côté littéraire pour le meilleur. Côté familial, il y eut bien des souffrances... De quoi m'ôter définitivement l'envie de vivre en couple. De toute façon, je n'ai jamais eu l'intention de fonder une famille : voulant rester un enfant, je fuyais, autant que faire se pouvait, les responsabilités.

Après Meudon, et de nouveaux déplacements au Maroc et à Londres, nous avons vécu quelque temps à l'hôtel, à Paris, puis pendant près d'un an à Cannes, dans un petit appartement sur la Croisette loué pour nous par mon grand-père, jusqu'à ce que mon frère lui souffle une idée géniale : notre grand-père, installé dans le Midi, n'occupait qu'un ou deux mois par an son grand appartement parisien : pourquoi ne pas nous le donner ? C'est ainsi qu'à partir du début des années cinquante nous prendrions nos marques dans ce décor parisien, face aux Invalides. Un demi-siècle plus tard, j'y vis toujours. Là, nous nous sommes vus très souvent, avec les Arland. J'ai adhéré à leur monde avec une fougue et une joie immédiates, tout à l'écoute de mon oncle, cet homme en quête de la vérité des êtres comme on le sent si fort dans chacun de ses livres.

Il parlait sans discontinuer de littérature.

Son grand dada ? Les écrivains « purs ». Dans le sens de « vrais ». Marcel m'a aidé à me former un certain goût. Il m'a appris aussi la fanfaronnade en littérature, c'est-à-dire à faire la différence entre ceux qui sont vraiment habités par quelque chose et ceux qui, très intelligents, arrivent à manœuvrer. Je n'étais pas à la hauteur pour échanger véritablement avec lui, pour tenir une discussion, mais j'écoutais, les oreilles grandes ouvertes, tout ce qui se disait entre les gens qu'il fréquentait et qui sont tous plus ou moins passés par chez nous. J'ai vu défiler ici presque toute la *NRF* ! Je me souviens aussi de Jacques Chardonne, de la fille de Gide, Catherine, de

François Nourissier — qui a même logé ici un hiver, nous lui avions loué une chambre. Et de Clara Malraux, très amie avec Janine et Marcel, qui avait connu Malraux à l'armée. Après leur séparation, mon oncle a continué de voir Clara, mais plus Malraux.

Je n'avais pas mon certificat d'études, mais l'appétit nécessaire pour déguster avec gourmandise tout ce que j'entendais. À cette époque, j'éprouvais une véritable passion pour Gide. La génération précédente avait été subjuguée par *Les Nourritures terrestres* comme une œuvre de liberté et d'audace. J'avais tout lu de lui, mais je plaçais ce livre-là au-dessus des autres. Pour moi aussi, Gide a représenté le personnage cassant les conventions de la société.

Quand il est mort, en 1951, je suis allé en bas de chez lui, rue Vaneau. Et me voilà sur le trottoir, pleurant comme une madeleine. Voyant des gens entrer là les uns après les autres, je me suis décidé à mon tour à monter. Je sonne à la porte, et je crois que c'est Maria Van Rysselberghe, dite « la Petite Dame », grande amie de Gide, qui m'a ouvert. « Entrez dans le salon », m'a-t-elle simplement dit.

C'est la première fois de ma vie que je voyais un mort. Ce qui m'a beaucoup frappé, chez cet homme qui avait été tellement controversé, qui avait provoqué tant de remue-ménage, de contestations et de rejets, c'est la paix sur son visage. Une sérénité incroyable.

Gide était très déconsidéré dans ces années de la *NRF* que j'ai connues, alors qu'il en avait été le fondateur. Je ne sais pas ce qu'on lui reprochait : son côté « vieille dame » peut-être ? Je me souviens de l'embarras de mon oncle Arland chargé d'écrire un article pour lui rendre hommage dans un numéro spécial de la *Nouvelle Revue française*. Je me souviens même de la dernière phrase de son très beau texte, intitulé « Gide reste présent » :

« *Et puis ce grand artiste, d'un bout à l'autre de son œuvre et de sa vie, fut un homme libre. Belle leçon, et toujours actuelle.* »

Pour moi, Gide reste une grande figure. Même si on le juge dépassé maintenant, il est à mes yeux l'homme qui a dénoncé la colonisation, qui est allé en URSS, a assisté aux procès, par besoin de savoir où se trouvait la vérité. On l'a traité de tous les noms, mais c'est tout de même lui qui avait raison. Je le voyais comme un homme de justice. Et à une époque où Sartre triomphait, où tout ce qui venait d'Union soviétique était merveilleux, Gide, lui, a vu très clairement qu'il s'agissait d'un régime totalitaire. Je n'avais pas trop d'opinion politique, mais j'avais très peur du monde stalinien, malgré Stalingrad et la contribution des Soviétiques pour gagner la guerre. Les procès, les gens fusillés, le grand nettoyage des foules, l'élimination de ceux qui ne partagent pas vos idées : tout cela m'alertait, et les discours des vedettes du communisme de l'époque ne m'inspiraient que méfiance. Certes, le communisme a représenté une espérance énorme, de justice sociale, d'égalité, de partage. Autant de valeurs, soit dit en passant, présentes dans l'Évangile. Les communistes ont été les premiers à protester contre le travail des enfants dans les mines qui ne semblait avoir soucié ni les bourgeois, ni même les catholiques. Mais le peuple russe, à peine sorti du servage, a fait les frais d'un idéal qui a abouti à la terreur. Pour autant, le capitalisme ne m'a jamais paru la panacée, puisqu'il se construit sur l'abus et établit la hiérarchie par l'argent...

Alors, qu'est-ce qui peut gérer le monde de façon paisible ? « Il n'y a pas de plus grand amour que de donner sa vie pour ceux qu'on aime », dit l'Évangile. Peu de gens ont pu le faire. Le Christ l'a fait. Il n'a souffert que quelques heures, quand ceux qui furent exterminés dans les camps ont connu, eux, ce qu'on appelle la mort lente... Les moines de Tibehirine l'ont fait, sachant qu'ils allaient être massacrés, mais ils voulaient demeurer auprès de leurs frères algériens. Les hommes de paix ont presque toujours été assassinés : Gandhi, Martin Luther King, Sadate, Begin... tant d'autres. Le mal travaille... Ceux qui haïssent la vie, en proie aux forces de destruction, sont vite embrigadés dans le fanatisme. Face aux malheurs du monde, je continue de croire, envers et contre tout, que l'on peut contribuer à être un artisan de paix. Un homme comme le Dalaï-Lama me touche infiniment. Je lui ai serré la main, au sortir d'une émission de télévision. Il expliquait très bien que son combat ne passait pas par la politique, mais par la spiritualité.

J'ai eu l'occasion de fréquenter le porte-parole de Gandhi en France, Lanza del Vasto, dont le petit groupe de non-violents avait connu un certain retentissement à l'époque.

Ma tante Anne-Marie était alors très proche des vendetistes, sages hindous des plus merveilleux. Elle avait séjourné chez Lanza del Vasto, et lui-même vint souvent ici, entouré de ses disciples : Lanza au milieu, et tous assis autour de lui, une douzaine de personnes. Et tous habillés de ces vêtements de coton blanc qu'ils tissaient eux-mêmes. Lanza faisait son enseignement, ou prenait sa guitare, et puis venait le moment de la méditation. Ma tante préparait des petits plats végétariens pour nourrir l'assemblée d'une manière conviviale. Lanza s'était un jour emparé d'une chaise pour montrer combien on était mal installé sur ce genre de sièges et comment il fallait s'asseoir par terre pour que le corps se repose au mieux.

Quand elle les voyait monter chez nous, la concierge se demandait qui pouvaient bien être ces gens tout de blanc vêtus, avec cette simplicité si élégante mais pieds nus dans leurs sandales en plein hiver : « Vous êtes sûr que ça va chez vous ? » Je la rassurais : ces « gens en blanc » étaient inoffensifs.

J'ai toujours été sensible aux injustices, sympathisant des causes perdues, mais sans

avoir vocation à parcourir le monde pour alléger la misère des opprimés. Je me reproche
souvent ma petite vie, et ne suis guère un
exemple de charité, mais enfin, chacun fait à
sa mesure, et j'aide comme je peux celui que
je trouve sur mon chemin. Que n'avais-je pas
dit à Paray-le-Monial, ce jour où, devant sœur
Emmanuelle, je déclarai en public : « N'hési-
tez pas à demander à Dieu de vous adres-
ser des personnes en difficulté. » Si certains
vœux tardent à être exaucés, en voilà un qui
le fut sur-le-champ ! Mais je ne suis pas l'abbé
Pierre...

Je n'ai jamais été engagé politiquement. J'ai
longtemps voté pour de Gaulle, parce que
même s'il s'est trompé sur bien des choses,
je le voyais comme un homme intègre, au-
dessus des magouilles. Il a quand même sauvé
l'honneur de la France et n'a pas manqué
de culot. L'idée de prendre Malraux à la
Culture ! Ma conscience politique s'est déve-
loppée un peu autour de Mai 68. Mais je n'ai
jamais été de ceux qui ne pensaient qu'à jouer
des textes politiques, en ne jurant que par
Brecht. J'aimais trop l'aventure et la poésie :
la politique n'était pas mon souci principal.

Je me suis beaucoup amusé à l'époque de 68, j'ai été séduit par cette folie des mots, des textes, des corps. Mais on a entendu aussi les pires absurdités, et tant de belles phrases sont restées lettre morte. J'aime quand on sort de ses gonds, quand on quitte ses petites habitudes, quand tout explose. Malheureusement, de cette liberté on n'a pas su quoi faire...

Contemporain de la guerre d'Algérie, cette plaie immense dans notre Histoire, j'ai heureusement échappé, grâce à un coup du sort, à l'horreur de me battre contre ceux que je considérais comme mes frères. Comment imaginer prendre les armes pour tirer sur les Arabes avec lesquels j'avais grandi au Maroc ? J'avais, de surcroît, un rapport particulier à l'Algérie : ma mère avait été élevée là-bas et me racontait les histoires de son enfance. Elle revenait souvent sur son grand amour de jeunesse : à vingt ans, elle était tombée follement amoureuse d'un musulman, fils d'un *bachaga*, dignitaire du Sud, qu'elle voulait épouser. Il fut question de fiançailles, mais ma grand-mère, qui imaginait déjà sa fille dans un harem, se décida à consulter l'archevêque d'Alger. Quand celui-ci lui annonça que si des enfants naissaient, ils seraient musulmans, elle s'en est presque évanouie ! Plus question de mariage.

Autant l'avouer : j'espérais que la mention *British* inscrite par mon père sur mon passeport, au moment où il m'avait reconnu, m'éviterait le service militaire ; les Anglais habitant l'étranger n'y étaient pas contraints. Bien que né à Paris de mère française, je pensais, *wishful thinking*, qu'on m'avait oublié... C'était sans compter sur la diligence des services administratifs français : ils retrouvèrent ma trace et je fus incorporé à l'âge de vingt-sept ans.

Horrifié à l'idée de partir en Algérie, je ne suis pas resté longtemps dans les atermoiements. Après avoir effectué la période des classes à Évreux, dans ce qu'on appelait le régiment du Train, correspondant au service des communications et transports de l'armée, j'ai pu être affecté par piston comme interprète à ce qui, sous les initiales de **SHAPE**, désignait le regroupement des forces de l'Atlantique, stationné à Paris. Mais je ne l'ai jamais intégré : en chemin, sur la route de Rocquencourt, une voiture de l'armée américaine me renversa. J'allais à pied, j'ai été projeté à six mètres : vol plané, traumatisme crânien, deux jambes cassées. Je suis toujours en possession d'une carte d'invalidité qui me permet de ne pas faire la queue au musée et même de bénéficier de la gratuité des transports en commun ! Je ne m'en suis pas trop mal sorti, même si je n'ai jamais cessé d'être ennuyé par des douleurs diverses, et me suis retrouvé à tout jamais privé de la pratique des sports dits violents, comme le tennis et le foot, que j'appréciais pourtant beaucoup.

« Tu t'es fait écraser exprès ! » m'a-t-on dit souvent. Même pas : nous étions deux camarades à marcher côte à côte, et nous avons été blessés exactement de la même façon.

Il y a des moments de la vie où l'on pousse un vrai « ouf » : cet incident de parcours m'évitait non pas tant le SHAPE, où je devais passer deux mois seulement, mais la guerre d'Algérie qui m'attendait ensuite, pour trente-quatre mois ! À l'hôpital militaire de Versailles où je fus transporté, je fis la connaissance dans la salle commune d'un voisin de lit qui, blessé en Algérie, venait d'être rapatrié. Il me raconta qu'il était chargé d'interroger les femmes arabes, et m'expliqua dans le détail comment il leur avait coupé le nez, les oreilles. Toutes ces sortes d'horreurs. J'en étais déjà malade mais le pire était à venir : j'appris en effet qu'il mettait toute son ardeur à torturer ces femmes pour se venger de sa fiancée qui l'avait plaqué un soir de bal de 14 juillet. « C'est elles qui ont payé ! Les salopes... », répétait-il. Pierre Bourgeade a tellement bien exprimé tout cela dans *Les Serpents*, ce roman dont le héros finit par se supprimer en rentrant de la guerre d'Algérie.

Je dois à mon accident, qui mit, d'opérations en greffes, ma vie à l'arrêt pendant presque deux ans, autant de bonnes que de mauvaises choses. Rester couché quatre mois durant en se demandant si l'on remarchera un jour, ou si l'on restera boiteux, n'est pas le plus confortable des états... Être débarqué d'un métier dans lequel on vient à peine de débuter — je me souviens que le réalisateur Jean Prat avait accepté que je joue un rôle où je devais rester debout tout le temps, avec mes cannes ! — était un vrai sujet d'inquiétude... C'était ma première dramatique pour l'ORTF, une pièce d'Adamov intitulée *Ping-Pong*. Cet auteur, semblable à un oiseau qui aurait perdu ses plumes, militait contre la guerre en Algérie depuis le bar de l'Old Navy, boulevard Saint-Germain, où il restait à siroter son petit jus... Une figure extraordinaire.

Adamov a beaucoup souffert de ne pas être reconnu à l'égal d'un Beckett, prix Nobel, d'un Ionesco, gloire mondiale, alors qu'il faisait un peu partie, avec Robert Pinget, de la même bande. Celle du théâtre de l'absurde qui avait succédé au triomphe des philosophes, Sartre, Camus, Montherlant, accueillis par Jacques Hébertot dans son théâtre surnommé par lui « théâtre de l'Élite ». Incroyable bonhomme que cet Hébertot : il recevait dans son bureau en s'amusant des regards que ses visiteurs portaient sur une photo obscène affichée au mur derrière lui... Et quand une pièce était descendue par toute la critique, il en faisait la publicité en ces termes : « La presse unanime ! »

Allongé chaque jour pendant ces deux années, j'ai tâché de prendre ce mal comme un bien : continuant à peindre, couché, et lisant tout mon saoul. À cette période correspond ma découverte des *Mémoires d'outre-tombe* de Chateaubriand dont j'avais commencé la lecture à la caserne d'Évreux, où j'avais fait mes classes comme simple troufion, puisque je ne voulais surtout pas devenir sergent ou caporal. Ah, les hurlements de ce sergent sortant de son bureau, ivre mort :

« Allez, bande de morveux, je vais vous apprendre un peu la vraie vie, vous allez voir, vous allez en baver ! Y'en a un qui parle anglais ? Bon, c'est toi qui nettoieras les chiottes. »

Mais j'avais Chateaubriand avec moi. Car dans cette armoire de soldat où tout doit être bien rangé, bien plié, on pouvait, parmi les objets personnels, emporter quelques livres. J'avais choisi cette « Pléiade ». Nous étions sept ou huit consignés dans la chambrée, et au milieu d'eux, chaque soir, allongé sur mon lit, je retrouvais ma lecture... Jusqu'au jour où l'un de mes camarades me demande d'une voix rauque :

« Qu'est-c'tu lis ?

— Je lis les souvenirs d'un monsieur qui a vécu au siècle précédent.

— Ah bon, c'est bien ? J'peux voir ? »

C'était un forgeron d'Alsace, un tout jeune gamin. Il attrape mon volume et le voilà qui commence à lire à voix haute. Les autres se sont peu à peu attroupés autour de nous... Il butait sur quelques mots mais c'était incroyable d'entendre cette voix paysanne lire ce texte infiniment délicat et majestueux. Au bout d'une vingtaine de pages, lues dans un silence absolu à l'entour, il s'est arrêté : « C'est vachement beau. »

Peu de choses me paraissent aussi émouvantes que ces lignes sur la mort de Mme de Beaumont :

« Alors elle me dit qu'elle sentait l'approche de l'agonie. Tout à coup, elle rejeta sa couverture, me tendit une main, serra la mienne avec contraction ; ses yeux s'égarèrent. De la main qui lui restait libre, elle faisait des signes à quelqu'un qu'elle voyait au pied de son lit ; puis reportant cette main sur sa poitrine, elle disait : C'est là ! Consterné, je lui demandai si elle me reconnaissait : l'ébauche d'un sourire parut au milieu de son égarement ; elle me fit une légère affirmation de tête : sa parole n'était déjà plus dans ce monde. Les convulsions ne durèrent que quelques minutes. Nous la soutenions dans nos bras, moi, le médecin et la garde : une de mes mains se trouvait appuyée sur son cœur qui touchait à ses légers ossements ; il palpitait avec rapidité, comme une montre qui dévide sa chaîne brisée. Oh ! moment d'horreur et d'effroi, je le sentis s'arrêter ! Nous inclinâmes sur son oreiller la femme arrivée au repos ; elle pencha la tête. Quelques boucles de ses cheveux déroulés tombaient sur son front ; ses yeux

*étaient fermés, la nuit éternelle était descendue.
Le médecin présenta un miroir et une lumière
à la bouche de l'étrangère : le miroir ne fut
point terni du souffle de la vie et la lumière
resta immobile. Tout était fini. »*

VISITES...

Au comédien

« Vous livrerez au public des confidences
que vous ne ferez à personne dans la vie. »
Père Régamey.

I. Chez Tania Balachova

J'ai toujours été très docile. Mon professeur
de théâtre m'avait dit : « Il vous faudra jouer
tout ce qui se présente ou vous ne vous en
sortirez pas. »
Jouer.
Si j'essaie de réfléchir à ma vocation de
comédien, j'en reviens toujours à ce mot,
comme si tout remontait à ce besoin d'enfance : rester à jouer. Il devait y avoir au
départ une incompatibilité avec l'existence

117

telle qu'elle vous est proposée, une sorte de malaise initial que ce métier a permis, en quelque sorte, de soigner : une certaine peur de la folie, la crainte de ne pas être normal. Je peinais à être moi, il a fallu que je sois quelqu'un d'autre. J'ai préféré le rôle à moi-même, en public du moins. Il m'offre une suppléance, et l'occasion d'exprimer des choses que je ne dirais pas dans la vie comme me l'avait annoncé le père Régamey. Bien des fois, j'ai ressenti que le vrai moi-même sur-gissait quand je n'étais pas moi. Et je l'ai constaté chez d'autres comédiens qui me sont apparus sur scène dans leur totalité, dans cette splendeur d'être absolument eux-mêmes à travers un rôle. La dissimulation les ame-nait à se livrer sans gêne.

Que fait l'acteur ? Il joue à être. À s'incarner dans un autre. L'acteur joue, mais il n'est pas une incarnation mystique, il joue, comme un gosse. Quand j'interprète un vice-consul, je suis vraiment un vice-consul, je continue à jouer. Exactement de la même façon que l'en-fant, se proclamant Zorro ou, une fois revêtu d'une couverture sur le dos, le roi Untel, a cette faculté de dire : « C'est comme ça. » Les enfants ont cette liberté de se déguiser et d'être le roi, la reine, papa, maman, l'Indien, le docteur, ils le sont, tour à tour, complètement, ils y croient, comme si cela était plus vrai encore que la réalité. Enfant, je ne supportais pas que l'on interrompe mon jeu sous le prétexte qu'il fallait passer à table. Je ne bronchais pas, j'attendais que mon père vienne me prendre par la peau du cou et m'installe sur la chaise. Je mangeais à toute allure, en trépignant de retourner à mes jeux.

Un jour, au Maroc, un copain me dit : « Viens à la radio, il y a des émissions pour enfants. » Je l'ai suivi à Radio-Maroc. C'est là que j'ai éprouvé pour la première fois ce plaisir de jouer la comédie. Oh, il ne s'agissait que de chansons interprétées au sein d'une chorale enfantine, ou de petites pièces extraites du répertoire le plus classique, mais nous étions dirigés par une femme très intelligente, qui avait le don d'exploiter les possibilités des enfants. Mon premier rôle fut celui du nain Atchoum dans *Blanche Neige*. Je m'en souviens parfaitement, avec l'émotion de ce qui vous marque, de ce qui est venu déterminer quelque chose de décisif, sans que l'on en prenne forcément conscience sur le moment. La conscience vient plus tard, et donne au souvenir cette consistance si particulière. Pour rien au monde je n'aurais manqué une seule de ces émissions.

En arrivant à Paris, j'ai tourné autour des écoles de théâtre, longtemps, plein d'hésitations, de scrupules et de peurs. Après avoir réussi ce concours d'élève décorateur de la rue Blanche, j'ai rencontré M. Jean Meyer, de la Comédie-Française... Il ne restait plus qu'à confirmer mon inscription, mais je trouvai aussitôt un prétexte idiot pour me dérober : avant d'intégrer l'école, il fallait se faire vacciner. Et je ne voulais pas en passer par cette piqûre. Pourtant... Quand j'entendais les élèves, dans les salles voisines, travailler la diction, l'expression dramatique, je savais que là était mon désir, que là était ma place. Mais il faut parfois un certain temps pour oser répondre à ce qui vous anime profondément.

« Voulez-vous savoir si vous êtes comédien ? » Cette annonce, parue dans le journal *Arts* en 1951, a servi de détonateur. Fort de l'expérience, quand je rencontre aujourd'hui des jeunes gens qui me disent : « J'aimerais savoir si je pourrais faire du cinéma. Cela me tente », je leur demande aussitôt : « Seriez-vous prêt à tout sacrifier pour le faire ? — Oh non, répondent certains, il faut d'abord que je voie si c'est bien. » Peine perdue.

Mais à ceux qui me disent : « Il faut que je sois comédien, sinon je crève », je réponds : « Allez-y. »

Rien ne peut venir vous rassurer. Et cette première expérience, dans le long et douloureux apprentissage qui m'attendait, ne fut pas franchement sécurisante ! Comment trois jours de « test » où l'on devait lire un poème, jouer une scène et tenter une improvisation auraient-ils pu donner une réponse à la question posée dans l'annonce ? Je me souviens très bien du thème de la séquence libre : un homme qui meurt de faim se promène, voit une pièce par terre, la ramasse, se précipite dans la première boulangerie et demande un pain. Mais au moment de payer, la boulangère lui dit : « La pièce est fausse, monsieur, je ne peux pas la prendre. »

Ma première improvisation.

Ce cours s'appelait l'« Éducation par le jeu dramatique » (EPJD). Le directeur nous avait annoncé des interventions de Jean-Louis Barrault, Jean Vilar, Roger Blin et autres grands noms du théâtre. Ils ne sont jamais venus. Mme Bourgouin, elle, nous faisait improviser : il fallait faire la pierre, le vent, la mer, cette identification première aux éléments par laquelle doit passer tout débutant. Mais un jour, j'ai assisté à une scène qui m'a vraiment fait peur ; le directeur avait demandé à de toutes jeunes débutantes d'improviser sur le thème suivant : « Vous allez dans un camp de concentration reconnaître votre enfant mort. »

A-t-on idée de proposer un tel sujet ? L'une des élèves, qui avait tout juste dix-sept ans, a commencé à errer sur scène, cherchant un petit cadavre, et puis tout d'un coup, la voilà qui se met à hurler, en proie à une crise de nerfs. J'étais terrorisé : si c'était cela, le métier de comédien, c'était au-dessus de mes forces.

Il a commencé à « rentrer » du jour où Tania Balachova, professeur de génie, m'a accepté dans son cours du studio des Champs-Élysées. Cette grande dame russe, élégante, d'une beauté angélique, et qui portait turban, dispensait son enseignement perchée sur le bar, ses jambes superbes pendant dans le vide.

Cette femme-là était capable de révéler à ses élèves une dimension d'eux-mêmes totalement insoupçonnée. Tania m'a accouché une seconde fois. J'étais si inhibé et timide à mon arrivée à Paris ! J'entendais souvent les gens demander à ma mère : « Mais il ne dit rien. Qu'est-ce qu'il a ? » Et leur inquiétude m'inquiétait.

Rien n'assure que l'on parvienne à devenir comédien mais ce désir, exigeant, fort, poignant, doit préexister. Heureusement que je le sentais au plus profond de moi car il m'a fallu énormément de travail pour faire éclore cette vocation. J'étais si gauche, je bougeais si mal, et, pour comble, on ne m'entendait pas. Tania m'a secoué dans les profondeurs, comme seul peut le faire un grand professeur. J'avais été élevé comme un enfant modèle, j'arrivais en petit Anglais bien sage. Et même si mon éducation ne fut pas conformiste, elle m'avait légué une forme de discrétion, voire de réserve, qui cachait d'énormes blocages.

Un jour, Tania me demande de travailler *Le Misanthrope*. C'est un moment clé de mon parcours que je pourrais presque nommer « scène primitive ». Celle que je devais apprendre pour ce fameux jour commence par une engueulade mémorable : Alceste est de très mauvaise humeur. Arrive Philinte. Je suis Alceste en colère.

123

Je monte sur la scène. Ou plutôt, on m'y pousse. Je commence à ânonner, avec le brave partenaire chargé de me donner la réplique.

« Ce n'est pas mal, dit Tania. Mais n'avez-vous pas entrevu autre chose ?

— Euh...

— Quelle est la situation ? Il est en colère, Alceste, n'est-ce pas ? Et pourquoi est-il en colère ? »

Je bafouille quelques évidences sur Alceste qui aime Célimène, et elle qui ne l'aime pas...

« Bon. Il est donc très fâché, Alceste. Montrez-nous un peu cela. »

Je recommence. Encore et encore, sans résultat. Alors Tania : « Si vous ne parvenez pas à montrer cette violence, je ne pourrai pas vous garder au cours. »

Elle avait employé les grands moyens, usé de la menace dont j'avais besoin pour sortir de mes gonds. J'étais beaucoup trop renfermé pour oser montrer quelque chose qui m'était totalement inconnu. D'un naturel très calme, j'avais horreur de me battre. Mon père me donnait souvent en exemple les petits Anglais boxeurs, en m'expliquant qu'un garçon devait savoir donner un coup de poing quand il le fallait, où il le fallait : « Un petit Anglais doit savoir se défendre », répétait-il. « Pourquoi ? Personne ne m'attaque », lui répondais-je... Son discours m'affolait. Je le refusais de tout mon être.

Cette femme, Tania, avait touché juste. Elle allait me faire comprendre que la violence est partout, en chacun, qu'elle peut se manifester là où on l'attend le moins, comme il arrive de le découvrir dans les journaux à la rubrique des faits divers : l'être le plus affable, le plus aimable avec tout le monde, jamais une histoire, du jour au lendemain, tue son entourage. Cette capacité de violence peut surgir en réponse à une attaque, une blessure ou... une menace. Être rejeté de ce cours m'aurait plongé dans le désespoir le plus total. Sa réaction m'a acculé à me lancer, au risque de perdre la maîtrise de moi-même, or le manque de contrôle était ce que je redoutais le plus.

Alors j'ai recommencé la scène. J'ai attrapé une chaise qui traînait là et je l'ai jetée, de toutes mes forces, en plein milieu. Elle s'est cassée et ce geste, enfin, a déclenché en moi l'accès à cet état de fureur...

« C'est bien. Vous voyez que vous pouvez être violent. »

Elle était si contente, et moi anéanti. Je suis rentré et me suis allongé, avec le cœur qui battait fort, fort encore. De cette impression d'avoir accompli l'inconcevable.

Il n'y a pas d'apprentissage sans moment difficile, et ce ne serait pas le dernier. Tania travaillait les comédiens comme un matador, jusqu'à ce qu'ils succombent, jusqu'à ce qu'ils passent à autre chose. Je me souviens de l'état d'excitation dans lequel Victor Lanoux arrivait au cours, en tremblant. Et à cette pile électrique Tania demandait de jouer Oblomov, le personnage de Gontcharov, qui passe son temps couché, et qui ne veut plus se lever.

De ce jour mémorable, j'ai su d'où venait la colère. Une ou deux fois dans la vie, il m'était arrivé d'y céder, et je redoutais ce débordement. J'apprenais à pouvoir être violent, tout en me maîtrisant : c'était le travail de l'acteur. Au moment où il doit tuer sur scène, il ne va pas le faire, il faut qu'il fasse semblant de le faire. Or, savoir de quoi est pétrie la colère est une chose très précieuse pour un acteur, d'autant que, par la suite, j'ai joué plusieurs rôles au théâtre où il s'agissait d'être méchant, excessif... Quand nous avons créé *Zoo Story* d'Edward Albee au théâtre de

Lutèce, en 1965, avec Laurent Terzieff, cette leçon m'a énormément servi. J'ai pu sortir toute la violence de ce personnage de petit-bourgeois new-yorkais, sur son banc de Central Park, défendant mordicus la place qu'un « blouson noir », interprété par Laurent, veut lui prendre, cherchant par tous les moyens à l'en chasser, le provoquant dans la bagarre jusqu'à lui mettre un couteau entre les mains.

J'ai hurlé la peur de ce petit-bourgeois. Or mon principal problème, à mes débuts, venait de ce qu'on ne m'entendait pas. Tania me tançait, me faisait surarticuler la tirade des « ministres intègres » dans *Ruy Blas* ; peu à peu ma voix s'est renforcée. J'ai découvert que le cri peut être un moyen de s'exorciser. On connaît le bénéfice de ces séances de psychodrame où les participants sont soulagés par le seul fait de crier leur angoisse, contre le père, la mère, je ne sais qui ou quoi. Si cette thérapie est bien dirigée, elle peut obtenir de bons résultats. Pour moi, qui ne me suis jamais senti malade au point d'aller voir un psy, l'expérience du cri a eu lieu sur scène...

La classe d'improvisation que Tania Balachova a bientôt introduite au programme de son cours, sous la direction de Maurice

Garrel, m'a été extraordinairement bénéfique. J'étais heureux comme un poisson dans l'eau, car nous improvisions les situations les plus folles. Je parle là de folie au sens de dépassement des limites. Quand j'ai pu contourner l'obligation du texte, j'ai évolué très vite. À partir du moment où je pus inventer sans plus rien censurer, une nouvelle période s'ouvrit pour moi. Elle allait trouver son accomplissement dans le théâtre musical, mais en passerait aussi par des moments inoubliables comme le tournage d'*Out one* avec Jacques Rivette, film de douze heures où Bulle Ogier et moi avons été livrés à nous-mêmes d'une manière totalement inédite et enivrante. Je ne mets pas l'improvisation plus haut que tout : elle n'est pas toujours probante. Je me souviens d'un énorme travail entrepris avec Peter Brook en 1968, à partir de *La Tempête*. Tandis que grondait la révolution dans les rues, nous proposions toutes sortes de choses à Brook autour de la pièce de Shakespeare mais ces variations entre comédiens français et anglais — censées répondre à l'injonction du metteur en scène : « Amusez-moi ! » — n'aboutirent à rien de très concluant.

Antoine Vitez, Jean-Louis Trintignant, Catherine Sellers, Bernard Fresson, Daniel

Emilfork, Tatiana Moukhine — une actrice proprement géniale mais si capricieuse qu'elle en devenait ingérable ! — et tant d'autres ont suivi le cours de Tania Balachova. Pascale de Boysson aussi, qui devint une très grande amie.

C'est au cours que je vis Delphine Seyrig pour la première fois. Elle était tout ce que j'aimais : la grâce et le mystère. Et chaque fois qu'elle passait, j'étais chaviré. De grandes amitiés sont nées de cette période. D'autres vinrent plus tard : avec Édith Scob, Bulle Ogier, Bernadette Le Saché, comédiennes rares et femmes délicieuses auxquelles je suis lié par de grandes connivences. Et des souvenirs tellement émouvants : ce soir de réveillon où Delphine Seyrig me téléphona une, puis deux, puis trois fois pour me persuader de rejoindre la fête qu'elle donnait chez elle, insistant en douceur, me conjurant avec tendresse, et cela malgré mes refus répétés : « Ne reste pas seul, viens. » Je venais de perdre ma mère et rien ne pouvait me distraire de ma peine. Mais Delphine m'a donné la force de sortir de chez moi. J'ai passé cette soirée avec Bulle Ogier dont la fille venait de mourir. Nous étions tous les deux, demeurés à l'écart, réunis dans le chagrin, mais ensemble, par la volonté vitale d'une si précieuse amie. Comme pour la plupart des êtres qui me furent si chers, je n'arrive pas à croire que Delphine est morte.

Il ne faut pas s'imaginer que l'enseignement de Tania faisait l'unanimité, loin s'en faut. À peine arrivés au cours, certains élèves en repartaient affolés en s'exclamant : « Ils sont fous : ils travaillent dans le génie ! » Au début de ces années cinquante, elle nous faisait faire des choses déroutantes. Marivaux, par exemple, synonyme de légèreté, de grâce... Tout en jeux d'éventails et cette intelligence subtile de la langue française... Tania l'a bousculé de belle manière : sans hésiter, elle demanda un jour à deux ou trois élèves de le jouer en se roulant par terre ! Vingt ans plus tard, Patrice Chéreau montrerait magistralement que cela était possible.

Tania Balachova se moquait des codes : rien n'obligeait à bien ar-ti-cu-ler Racine en prenant une belle voix. Elle envoyait promener les emplois, jeunes premiers, valets, etc., toutes ces traditions, tous ces clichés, et les années qui allaient suivre lui donneraient raison. L'époque voulait que l'on appartienne impérativement à l'une de ces catégories bien définies de rôles : Ophélie ne pouvait être interprétée que par une gracieuse jeune femme blonde et romantique, et Antigone par une brune tourmentée. Heureusement, tout bouge : on a pu admirer ce petit bonhomme qu'est Denis Lavant jouer les plus grands héros du répertoire, et comment ! Ou encore, à Londres, cette comédienne anglaise, Frances de La Tour, donner son mètre quatre-vingts à la petite Sonia d'*Oncle Vania*, devenant presque frêle et menue, trouvant dans son grand corps toute la délicatesse et la tendresse du personnage !

Je n'ai jamais été gêné par mon physique, il ne m'a pas fait souffrir de complexe particulier. Les uns me conseillaient de faire opérer mon nez un peu trop retroussé, de leur point de vue, pour devenir comédien. Et d'autres, de rester comme j'étais. On dit de certaines comédiennes qu'elles ne veulent être filmées que de leur bon profil : un racontar comique a même circulé autour d'Edwige Feuillère jouant la duchesse de Langeais.

Pour économiser ses larmes, elle ne pleurait que d'un seul œil, celui que la caméra filmait ! Je n'avais pas un souci énorme de ce que je représentais physiquement, j'étais plutôt content d'être un homme grand. Tombé amoureux souvent, j'ai vu aussi un certain nombre de filles tomber amoureuses de moi... L'âge venant, et les épreuves avec, j'ai pris beaucoup trop de poids, surtout au moment de la maladie de ma mère, et me suis mis à fumer, de plus en plus, ce qui me valait cette demande récurrente de ma tante Anne-Marie, que j'entends encore :

« Mon chéri, fais-moi plaisir, arrête de fumer. »

J'ai arrêté après sa mort. Enfin, presque.

Tania m'avait prévenu. Je devrais en passer par bien des étapes et attendre mon heure. C'est en effet à partir de l'âge de trente ans que j'ai commencé à me trouver. À force de travail, j'avais pris de l'assurance, mais j'abordais encore chaque rôle avec beaucoup d'angoisse. Pendant des années, j'ai eu un trac fou, une anxiété en répétant, un malaise à répéter trop longtemps... Et puis, les rencontres que j'ai eu la chance de faire, avec le metteur en scène Claude Régy par exemple, m'ont amené là où je ne savais pas pouvoir aller. Et c'est toujours, et encore, ce qui m'intéresse.

Très jeune, Claude avait monté Lorca, et porté sur scène *Les Viaducs de la Seine-et-Oise* de Marguerite Duras. Après de longues années comme assistant metteur en scène, il a resurgi, prêt à donner le meilleur de lui-même. Il a triomphé en montant *L'Amant* et *La Collection* de Pinter, avec Delphine Seyrig, Michel Bouquet, Sami Frey, Claude Pieplu, Jean Rochefort. Il réunissait chaque fois une distribution éblouissante. Claude m'avait mis « en veilleuse », mais je savais qu'il m'aimait bien. En 1967, il m'a offert un rôle très important dans la création de *Rosencrantz et Guilderstern sont morts*, pièce de Tom Stoppard qu'il avait été voir à Londres. À l'époque, des metteurs en scène comme lui faisaient leur marché là-bas, ramenant en France tout ce qui leur paraissait intéressant. Démarche qui n'avait pas lieu dans l'autre sens !
La grande période Régy s'ouvrait. Elle durerait plus de vingt ans. Ce que j'ai aimé,

appris et partagé avec Claude, c'est d'abord sa façon de tout mettre à plat. On ne construit rien, on ne sait rien *a priori*, on lit beaucoup autour d'une table, on travaille ensemble, et peu à peu se dégage quelque chose. Des possibilités. J'appréciais qu'il laisse ainsi se développer les personnages, très lentement, sans vision préétablie, contrairement à d'autres metteurs en scène qui disent d'emblée : « Il faut faire comme ci, comme ça. » Lui, c'était l'inconnu, et moi, j'aimais cela. Il me laissait prendre des initiatives. J'ai joué une douzaine de pièces avec lui, *Home* de David Story, *Isma* de Nathalie Sarraute... Avec Claude, le comédien imaginait, pouvait moduler son jeu, et même le modifier un peu... Il est tout à fait possible de réinventer tous les soirs en ne changeant ni une virgule, ni un geste. J'avais appris de Tania qu'il ne faut pas tant jouer les mots que les situations — puisque chaque être se trouve toujours dans une situation. Or, avant toute chose, l'intonation dit la situation.

C'est avec Claude que j'ai été le plus loin dans un ailleurs, alors que dans bien des mises en scène où j'ai été employé, je savais tout de suite où j'allais : il suffisait de répondre à une demande, ce qui n'est pas forcément plus facile, ou moins intéressant. Mais n'autorise pas cette liberté qui m'est si chère...

Au comédien

II. D'une rive à l'autre

À mon arrivée à Paris, après la guerre, il m'avait fallu quelque temps avant d'éprouver un vrai grand choc au théâtre. Roger Blin me le donna, dans sa mise en scène de *La Sonate des spectres* de Strindberg à la Gaîté-Montparnasse. Mais si je découvrais là le théâtre tel que je l'espérais, rien ne m'empêcherait de passer plus tard d'un registre à l'autre, si différents soient-ils. Rien, et pas même l'incompréhension des gens qui, d'emblée, ont cherché à me situer à tout prix. À croire qu'il faut absolument appartenir à un groupe et n'en pas bouger ! Mais certaines années, il n'y avait pas tant de travail, et j'ai dû accepter ce qui était proposé. Des Mathurins au théâtre de Lutèce, ma « carrière », comme on dit, oscilla dès le départ entre la rive droite et la rive gauche. Tania m'avait fait passer une audition devant Raymond Rouleau, qui mettait en scène du très bon boulevard, et Pascale de Boysson, avec laquelle j'étais très ami depuis le cours, m'embarquait en parallèle dans l'aventure naissante de la compagnie Laurent Terzieff. À partir de *La Pensée* d'Andreïev, que nous avons jouée tous les trois au théâtre de Lutèce en 1961, j'ai été, pendant quelques années intenses et merveilleuses, le compagnon de route de ce couple d'exception. Laurent, qui avait monté *L'Échange* de Claudel, me demanda un jour de remplacer un comédien dans le rôle de Thomas Pollock Nageoire : beaucoup trop jeune alors, j'ai dû me grimer d'une façon extrême pour paraître l'âge du rôle. Ma rencontre avec ce magnifique personnage d'écrivain trouverait son heure : j'ai joué *L'Échange* il y a quelques années, à Avignon, puis au Rond-Point. Je n'avais plus besoin de maquillage. Je me sentais en phase comme jamais : peu de rôles me sont aussi proches que celui-ci. Moi qui n'ai jamais eu une bonne mémoire, qui ai toujours dû faire appel à des moyens mnémo-

138

techniques et bien souvent à quelqu'un — à commencer par ma mère ! — pour me faire répéter mon texte, j'ai appris Claudel avec une facilité étonnante.

Laurent Terzieff est une figure considérable dans le théâtre, un grand intellectuel, d'une culture incroyable, un lecteur insatiable, qui peut parler de tout. Il a sur scène un magnétisme impressionnant, mais qui émane avant tout de ce qu'il est, de sa personnalité, à partir de laquelle il incarne le personnage. Sur un plateau, Laurent est un monument d'intensité, et, dans la vie, quelqu'un qui mobilise beaucoup autour de lui. Je compris qu'il me faudrait, pour voler de mes propres ailes, ne pas demeurer trop longtemps dans le sillage de Laurent. Nos parcours se sont doucement séparés. Mais Pascale est restée jusqu'à la fin l'amie la plus fidèle que j'aie jamais connue... Elle vient de nous quitter. Le jour de son enterrement, il n'y avait pas de mots pour Laurent. J'ai seulement posé ma main sur son épaule.

Les créations de beaux textes dans de petites salles ne m'éloignaient pas pour autant du boulevard. Quand j'ai joué, en 1976, *Chers zoiseaux* de Jean Anouilh, mes amis de gauche crièrent au scandale. Mais quoi ? J'interprétais le rôle d'un intellectuel qui préconisait de grandes idées de gauche. Belles paroles qu'il oublie instantanément le jour où sa maison est mise à sac : le grand homme, alors, perd tous ses moyens. C'est un rôle extraordinaire ; n'y a-t-il pas, à gauche comme à droite, des trouillards, des poltrons, des gens qui palabrent ?

Beaucoup d'acteurs français jouent en se répétant, rejouant à peu près tout de la même façon. Les Anglais, eux, se modifient beaucoup plus souvent. Ils changent leur voix, tel Laurence Olivier, mon modèle, qui est parvenu à faire descendre la sienne d'une octave pour jouer *Othello*. Je ne vois pas, en France, un comédien se lancer dans un tel travail. Changer de nez, comme Olivier le fait presque pour chaque rôle ? Comme j'admire cette métamorphose constante chez les acteurs anglais : ils se déguisent, n'ont plus la même voix, ni le même aspect, ni la même démarche, au point qu'on ne les reconnaît pas. Mais en France, on n'aime rien tant que reconnaître ce qu'on a aimé ! On veille à ce que vous restiez vous-même : une fois que l'on vous a casé dans un emploi, on vous y laisse, tout est bien, parfaitement sécurisant. Je crois être très anglais dans mon rejet de cette vision des choses. Olivier, lui, a joué tous les rôles principaux de Feydeau, Ionesco, Shakespeare, du plus haut comique jusqu'aux grands drames. Un Cuny n'aurait jamais modifié sa fabuleuse diction !

La signification du rôle, ce qu'il faut transmettre du personnage, et la qualité du texte, voilà ce qui m'a toujours importé. Et dès que cela s'est avéré nécessaire, j'ai changé ma voix, pris des accents, tenté toutes sortes de choses, et le plus possible. Ainsi, j'ai été aussi heureux dans le comique que dans le tragique, dans la légèreté que dans les recherches les plus expérimentales, sur scène comme à l'écran.

C'est avec François Truffaut que je me suis enfin senti réellement à l'aise au cinéma. Je sortais d'années de panique, d'angoisse, de malaise, d'inquiétude permanente de ne pas être à la hauteur. Mon Dieu, comme j'ai peiné dans mon premier grand rôle au cinéma, celui que Jean-Pierre Mocky m'a confié en 1961, dans *Snobs* : je devais prononcer tous les « é » en « ai » : « C'est un très bail aitai...

Je vais me promenai.... » Il a fallu recommencer les prises dix fois... À la sortie, le film fut interdit par la censure pendant deux ans pour outrage à l'Armée, et à l'Église ! Avec Mocky, j'entrai dans un monde joyeusement disloqué, où chaque personnage est caractérisé par un défaut bien particulier. Un univers farfelu dont je ne suis jamais resté longtemps éloigné puisque je viens de tourner avec lui *Le Tueur sans gages*.

Au tout début des années soixante, un hasard extraordinaire m'a amené à jouer sous la direction d'Orson Welles dans *Le Procès*. J'ai baptisé ma « nuit de l'éblouissement » ce tournage où Welles, qui cherchait un acteur parlant anglais, m'avait convoqué aux studios de Billancourt.

« *Hello, mister Lonsdale !* »

Sa voix tonitruante m'accueillit avant lui. On l'entendait résonner à l'autre bout du studio. Quelques jours après, gare d'Orsay, je montai en chaire pour faire mon discours à monsieur K. Le mouvement de caméra était si complexe et si long que Welles a tourné la scène dix-huit fois ! Je serais volontiers resté ensuite, pour assister, bouche bée, au tournage, si Welles ne m'avait pas gentiment déclaré : « *Mister Lonsdale, you can go back to your home.* » Entre-temps, j'ai eu la chance de comprendre ce que pouvait être le cinéma dans la liberté et l'invention, dans le génie, même, en voyant à l'œuvre quelqu'un qui dépassait tous les possibles : transformant la gare d'Orsay en cathédrale, et tout cela dans l'intelligence de Kafka ! *Le Procès* fut l'un des derniers tournages heureux de Welles, qui bénéficiait encore de tout l'argent nécessaire ; connaissant l'homme, son producteur avait mis de côté, en prévision des dépassements, l'équivalent de la somme du tournage... Bien plus tard, j'appris avec émotion que j'avais tenu dans ce film le rôle que Welles s'était réservé pour lui-même. Il n'avait pu le jouer à cause d'une défection de dernière minute de Charles Laughton l'obligeant à en tenir un autre. Il avait fait appel à moi sur le conseil d'Antony Perkins. Au générique du *Procès*, Welles prononce l'un après l'autre les noms des comédiens. Le mien arrivait en dernier. Je l'entends encore : une promotion inouïe !

D'une manière beaucoup plus profonde et durable, je le répète, c'est à François Truffaut que je dois ma liberté au cinéma. Après l'expérience un peu sérieuse de *La mariée était en* noir, *Baisers volés*, en 1968, fit souffler un vent nouveau. Le premier, Truffaut m'a dit : « Faites ce que vous voulez. » La veille du tournage il me remit le texte de la fameuse scène où M. Tabard se rend à l'agence de détectives. Vingt lignes : « C'est un canevas. Vous improviserez. » J'ai retrouvé ce qui m'avait rendu si heureux au théâtre : un metteur en scène me faisait confiance pour improviser... *Baisers volés* m'a permis de pouvoir commencer à choisir mes rôles. Il y a clairement, dans mon parcours, un avant et un après Truffaut.

Si je le regarde dans son ensemble, je ne peux tout de même pas en ignorer les moments beaucoup moins favorables et même douloureux... Je me suis embarqué dans des aventures qui se sont avérées nullissimes, je me suis souvent trompé... Sans avoir une connaissance surnaturelle de ce que je suis, je crois savoir un peu mieux, après bien des années, comment je fonctionne. Mais il m'arrive encore de faire des erreurs : je n'aurais pas dû accepter de tourner dans *Les Acteurs* de Bertrand Blier, lequel me demandait de faire du mystère dans un rôle écrit à l'origine pour

D. R.

Ma mère.

D. R.

Mon père.

D. R.

Mon père, officier de l'Armée des Indes, premier rang à droite, 1929.

D. R.

Mon père dans le Sud algérien, 1930.

D. R.

D. R.

À 8 ans.

Michaël petit.

À 25 ans.

D. R.

© Viollet-Lipnitzki.

Avec Tania Balachova dans *Franck V*
de Friedrich Dürrenmatt,
Théâtre de l'Atelier, 1962.

Tania Balachova.

© Studio R. Nosimovici.

D. R.

Mon premier film :
C'est arrivé à Aden,
de Michel Boisrond en 1956.
Avec Georges Chamarat
et Robert Manuel.

Pour le meilleur et pour le pire,
de Clifford Odets,
théâtre des Mathurins, 1955.
Raymond Rouleau,
François Joxe et Gérard Oury.

D. R.

D. R.

© L. Martinez, Catania.

Mon premier rôle important
dans *Snobs*,
de Jean-Pierre Mocky, 1961.

L'Échange, de Paul Claudel,
grimé pour le rôle de Thomas
Pollock Nageoire, 1961.

D. R.

D. R.

Le Tableau d'Eugène Ionesco, théâtre de l'Œuvre, 1963, avec Jean-Marie Serreau.

© Studio R. Nosimovici.

Avec Laurent Terzieff, dans *Zoo Story*, d'Edward Albee, théâtre de Lutèce, 1965.

© Studio R. Nosimovici.

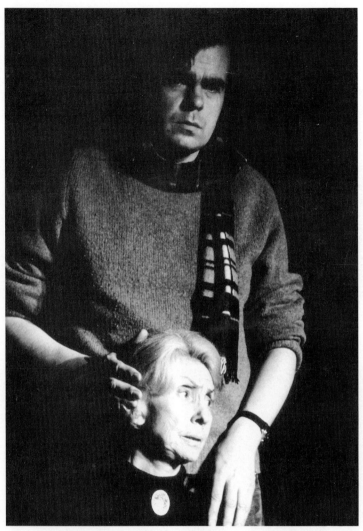

D. R.

Ma photo préférée au théâtre. Avec Madeleine Renaud,
dans *L'Amante anglaise*, de Marguerite Duras, mise en scène de Claude Régy.
Répétition, novembre 1968.

D. R.

Avec Marguerite Duras,
lors du tournage
de *Détruire, dit-elle*, 1969.

D. R.

Ma photo préférée avec Marguerite
lors du tournage de *Détruire, dit-elle*.

D. R.

Avec Philippe Léotard, dans *Le Chacal*,
de Fred Zinnemann, 1971.

Home de David Story, à l'Espace Cardin en 1973,
avec Gérard Depardieu et Jean-Loup Wolff, mise en scène de Claude Régy.

© Nicolas Treat.

Avec Dominique Zardi et Maurice Ronet,
lors du tournage de *Bartleby*, 1976.

D. R.

© Barbara Jackson.

Dans *Comédie*, de Samuel Beckett, en 1964,
avec Delphine Seyrig et Éléonore Hirt,
pavillon de Marsan.

Samuel Beckett.

© Henri-Cartier-Bresson / Magnum.

D. R.

La Chevauchée sur le lac de Constance, de Peter Handke, mise en scène de Claude Régy
à l'Espace Cardin, janvier 1974. Avec Jeanne Moreau, Monique Térimont, Gérard Depardieu,
Delphine Seyrig, Isabelle Desgranges.

D. R.

Avec Jean Eustache,
Festival de Paris, 1977.
Projection de *Une sale histoire*,
à *L'Empire*.

D. R.

Tournage de *Les jeux de la Comtesse Dolingen de Gratz*
de Catherine Binet, septembre 1980.

D. R.

D. R.

Avec Jean-Louis Barrault.

Édith Scob dans *Miroir*, en 1976.

© Bernand.

Avec Polia Janska
dans *La Voix humaine*,
de Jean Cocteau, en 1969.

© Nusimovici.

Navire Night de Marguerite Duras, en 1979,
mise en scène de Claude Régy, avec Bulle Ogier et Marie-France.

© François Berton.

Mise en scène
de *Sa Négresse Jésus*,
de Michel Puig,
avec Toto Bissainthe
et Karen Fenn, en 1973.

D. R.

Dans *L'Automne*,
de Marcel Hanoun, en 1971.

© Nusimovici.

(avec un chien)…

© Fiorenzo Niccoli

Hôtel des Invalides, décembre 1986.

D. R.

La peinture.

Christian Clavier. Ah, cette grande famille des acteurs... Je m'y sens parfois si décalé, n'ayant pas du tout l'esprit blagueur, pas le moindre goût pour la grosse farce, au point de me sentir parfois très mal à l'aise. J'ai toujours eu horreur du copinage entre les comédiens, de ce rire franc et massif qui peut réunir les uns et les autres sur un tournage : je n'ai jamais pu m'intégrer, hélas, à l'atmosphère, pourtant très sympathique, qui régnait sur un film comme *Les Copains* d'Yves Robert. Mais on apprend toujours, surtout auprès des plus différents de soi. En relisant certaines pages du journal intime que j'ai tenu pendant les années cinquante et soixante, je me rends bien compte que tout n'a pas toujours été rose et que mes aspirations profondes étaient bien souvent reléguées très loin : un passage sur le tournage d'*Hibernatus* d'Edouard Molinaro, où Louis de Funès régnait en petit chef, en dit long sur mes frustrations. Et pourtant, ce film est devenu un objet de culte !

J'ai joué des choses si différentes, sans éprouver le souci de me forger une image. J'ai toujours pensé que le rôle de l'acteur est d'être disponible et souple. Il ne doit pas, surtout pas, se créer un style, mais, comme le

145

caméléon, changer de peau, de façon d'être. Quand bien même il lui faudrait jouer de dos ! C'est ce qui m'est arrivé : dans le film magnifique de Catherine Binet *Les Jeux de la comtesse Dolingen de Gratz*. J'avais fait la connaissance de Catherine sur l'un des films des quatre saisons de Marcel Hanoun, *L'Automne*, où je jouais le rôle d'un homme qui courait dans la forêt cherchant à échapper à quelque chose, quoi, je ne sais plus, mais je me souviens d'avoir couru des heures entre les arbres ! Catherine était monteuse sur ce film. Une excellente monteuse. Elle s'apprêtait à tourner son premier long-métrage financé par Georges Perec, son compagnon, et n'avait pas osé me proposer le personnage de ce riche homme d'affaires parce qu'on ne voyait son visage qu'à la dernière scène du film. « Au contraire, lui dis-je, tu ne t'imagines pas comme cela m'amuse ! » L'improbable m'attire presque *a priori*. Et ce métier m'a relativement bien servi en expériences inattendues.

Nelly Kaplan a insisté tant qu'elle a pu pour faire de moi un demeuré dans son extravagant *Papa les petits bateaux !* Je n'ai pas regretté d'avoir cédé à son charme... Et si je repense au couple que nous formions, Édith Scob et moi, dans *La Vieille fille* de Jean-Pierre Blanc, elle anorexique, et moi en permanence affamé de viande, je continue de lui trouver une étrangeté remarquable...

Quand je me revois sucer l'orteil d'Anicée Alvina où s'était planté un bout de verre, parce que cette scène de *Glissements progressifs du plaisir* voulait qu'elle marche sur un sol jonché d'éclats de verre, c'est toujours avec un certain étonnement. Alain Robbe-Grillet avait beau essayer de m'expliquer les motivations du juge, je n'entendais pas grand-chose à tout ce structuralisme. Drôle d'univers que le sien... Un jour, au maquillage, Alain passe derrière moi et me demande d'un air soucieux : « Vous avez lu Edgar Poe ? » Et moi, pris du malin plaisir de l'inquiéter : « Non. Qui est-ce ? »

Tout ce qui est passé, alors, en une fraction de seconde, sur le visage de Robbe-Grillet ! Comment était-il possible que... Qu'est-ce que c'était que ce crétin ?

Pour moi, Robbe-Grillet symbolise l'intellectuel aux prises avec son système. Son visage inquiet vibre d'intelligence mais d'une intelligence exacerbée et qui fonctionne sur elle-même. On dirait qu'il s'intéresse aux gens plus qu'il ne les aime. Il aime les petites filles, mais comme sujets de plaisir...

Par la suite je suis venu le rassurer : « Mais bien sûr, Alain, que je connais Poe ! — Ah bon. » Cet homme est aussi attachant qu'il semble tourmenté. Et capable de vous fasciner complètement. Nous tournions dans un immeuble au bas duquel se trouvait un café. Alain me montre du doigt la construction qui nous faisait face :

« Regardez ces fenêtres aveugles.

— C'est quoi, des fenêtres aveugles ? »

Et le voilà parti sur ce thème : fenêtre aveugle, bouchée, fermée, à quoi, comment, pourquoi : quand il commençait à parler ainsi, on ne l'arrêtait plus, et tout ce qu'il racontait en rêvant à haute voix devenait lumineux.

Il n'est pas toujours évident d'entrevoir ce qui peut bien se passer dans la tête d'un personnage... Quand je me suis retrouvé en voyeur dans *Une sale histoire* de Jean Eustache, je me suis demandé comment un homme pouvait observer aussi assidument l'anatomie de ces dames en train de se soulager... J'ai vraiment essayé d'imaginer les heures passées par ce bonhomme dans les toilettes, le situant dans le registre de l'obsession, presque de la maladie. Jean était content parce qu'il ne voulait pas que je joue le personnage avec l'œil allumé mais attendait plutôt de moi que je provoque l'étonnement, en conservant une distance... Il m'avait fait confiance d'instinct. Comme j'aurais voulu faire un autre film avec Jean Eustache ! Il en était question, sur le scénario formidable de deux types qui se téléphonent et se racontent leur vie amoureuse ; il avait dû s'inspirer des conversations téléphoniques avec ses amis, qu'il enregistrait à leur insu : toutes ces bandes qu'on a trouvées chez lui ! Mais Jean est mort. Cet être timide, discret, était un grand inquiet. Il a fini par se suicider. Il ressentait les choses de façon si aiguë, mais restait envahi par la nostalgie de sa jeunesse et de ses aventures avec les filles, dont il ne semblait plus pouvoir se détacher, jamais.

Si j'ajoute à cette galerie de personnages pervers, maniaques et obsessionnels en tout genre le chapelier du *Fantôme de la liberté* de Buñuel, qui se fait fouetter les fesses en suppliant ses « invités » de ne pas s'en aller

— « Ne partez pas, ne partez pas, les moines, surtout, restez ! » —, on pourrait en déduire que j'y étais abonné... Je ne le crois pas, ou alors il faudrait comptabiliser dans le détail la fréquence des types de caractères que j'ai incarnés : les méchants, par exemple, avec, en tête, le personnage du seul James Bond que j'aie jamais tourné, *Moonraker*. Sous la forme de boutade, je raconte avoir accepté ce rôle parce qu'on me reprochait de ne faire que du cinéma d'auteurs, comme si je n'étais pas capable de tourner dans un film commercial ! Ce méchant-là est une sorte de nazi : il veut créer une race de gens magnifiques qu'il mettrait dans une fusée en détruisant le reste de l'humanité, faisant place nette sur une planète purifiée pour la nouvelle espèce qu'il a inventée ! À mes yeux : un personnage de bande dessinée.

Il n'y a pas un seul rôle de méchant, il y a une variété infinie de méchants. Et si j'ai éprouvé un grand malaise à interpréter le personnage d'un collaborateur de Vichy, dans *Section spéciale* de Costa-Gavras, parce que ses proches étaient encore vivants, j'ai exulté en jouant le diable lui-même, dans *Les Frères Karamazov* pour la télévision : un diable si intelligent, personnage si magnifique dans le foisonnement dostoievskien !

Tout en gardant la distanciation chère à Brecht, on peut montrer aussi bien la joie que la détresse humaine. Le tout est de faire voir l'humanité. Pourquoi les gens vont-ils au théâtre et au cinéma ? Par besoin de se confronter, de se comparer, de s'identifier, de juger, de s'opposer, de soutenir une cause. La scène — ou l'écran — est ce lieu où l'on montre la vie. Notre métier est de la montrer le mieux possible. L'inspiration répond à ce « comment » être habité par quelqu'un d'autre, qui est le personnage.

Le risque pour le comédien consiste à enchaîner un rôle à l'autre où il est toujours le même. J'ai dû fuir les commissaires de police après mon rôle dans *Le Chacal*, et plus encore les moines et les prêtres après *Le Nom de la rose*. Maintenant, je ne joue plus tant les pères abbés que les pères tout court — en une seule année dans le film d'Arnaud des Pallières *Tous contre lui* et celui de Roberto Garzelli *La place de l'autre* ! — et bientôt les grands-pères. Je lutte, toujours, pour tenter d'aller vers quelque chose de différent. Mais il serait injuste de ne pas reconnaître la grande satisfaction que m'ont apportée ces rôles de moines, à commencer par celui du film de Jean-Jacques Annaud. Avant de tourner, je l'avais interrogé pour en savoir plus sur cet abbé :

« Qui est ce personnage ?

— C'est François Mitterrand, me répond Annaud.

— Pourquoi ?

— Parce qu'il aime les livres. »

J'ai trouvé cela si court que je me suis presque « jeté » sur Umberto Eco quand il est venu nous voir sur le tournage. L'écrivain m'apprit que le modèle du personnage est l'abbé Suger, évêque de Saint-Denis, et figure considérable de l'histoire de France. Comme saint Bernard, il a été un des constructeurs de l'Europe, appelé comme conseiller de cour en cour. Cet abbé avait un grand amour pour les pierres précieuses. Dans l'éclat de leurs rayons il voyait une lumière mystique, ce qui me paraissait beaucoup plus poétique et contemplatif que les indications de jeux d'Annaud me le donnaient à penser : il souhaitait que je m'empare des bijoux en les triturant d'un air gourmand. Sans doute parce que son côté anticlérical le poussait à montrer les moines comme des monstres ! Au final, il accepta que je le joue à ma manière.

Umberto Eco connaît tout un tas de livres que seuls les spécialistes connaissent, et cette matière rarissime lui a permis de faire remonter à la surface bien des récits, notamment sur les dérives de ces franciscains qui ont dérogé à la règle de leur ordre : prôner la pauvreté ne signifie pas trucider les riches. Et voilà comment on en arrive à tuer au nom du Christ, et comment, de déviation en interprétation abusive, l'Histoire religieuse regorge de tragiques aberrations. Tous ces personnages s'en réfèrent à cette période moyenâgeuse à laquelle Eco a su habilement mêler l'univers d'Agatha Christie. Cet abbé si soucieux du secret de sa bibliothèque laisse ainsi deviner que tout s'y passe. Il finit par mourir étouffé dans un passage secret qui conduit du monastère à la bibliothèque, enfermé par le vieux moine aveugle. Je me souviens que Sean Connery devait recevoir mon cadavre dans ses bras en ouvrant la porte, mais le pauvre ne pouvait supporter tout mon poids ! J'ai découvert en Sean Connery davantage qu'un très grand comédien : un être incroyablement attentif, soucieux de vous aider dans chaque réplique. Quand la caméra est sur vous, il joue comme si elle était sur lui. Pendant ce tournage, en Allemagne, nous allions répéter le dimanche dans une chapelle où l'on nous apprenait à psalmodier pour que nos lèvres soient synchronisées au point de faire croire que c'est nous qui chantions. Le soir, Sean Connery venait boire un verre avec nous. Il connaissait les noms de tous nos personnages, et ceux de tous les acteurs.

Bien des années auparavant, en 1974, j'avais joué le rôle d'un cardinal dans le film de Joseph Losey *Life of Galileo*, adapté de la pièce de Brecht sur la vie de Galilée. Il s'agit du cardinal Barberini qui devint pape sous le nom d'Urbain VIII. C'est lui qui a donné ses lettres de noblesse au baroque, qui apparaît dans l'histoire de l'art italien en libérant les formes : les personnages peints ou sculptés se mettent à onduler, et les robes à tourner. À partir de la pièce de Brecht, qui dure deux heures et demie, Losey avait réussi à faire un film de deux heures. Mais la richesse du dialogue exigeait tellement de sous-titres que le film a fait carrière en Angleterre et aux États-Unis mais n'est jamais sorti en France.

Il fallait tout de même arrêter les rôles d'ecclésiastiques, ne pas en faire une spécialité, fuir le label « Lonsdale, bon pour les prê-tres »... Mais quand Constantin Costa-Gavras me demanda de jouer, dans *Amen*, le rôle d'un des monseigneurs de Rome qui empê-chent le jeune prêtre de venir avertir le pape, lequel est tout occupé à plastronner et faire ripaille, j'ai refusé pour d'autres raisons. Dans ce cas précis, je redoutais un propos profon-dément anticatholique. Toute cette affaire avait fait grand bruit, déjà, dans les années cinquante. Les représentations de la pièce *Le Vicaire*, dont Costa-Gavras a tiré *Amen*, avaient été perturbées par des ultra-religieux qui montaient sur la scène de l'Athénée pour agresser les comédiens. Le spectacle avait même dû s'arrêter.

J'avais peur que le film de Costa-Gavras soit foncièrement antipapiste, mais au final il montre le Saint-Père pleurant, disant : « Oui, je sais, je sais. » Comment porter un juge-ment sur une Église qui se compose à la fois d'un pape qui ne bronche pas et d'un prêtre qui se sacrifie pour partager le sort des dépor-tés ? Il faut savoir dire non à l'Église quand, en son âme et conscience, on pense qu'elle n'est pas digne du Christ. Comment ne pas comprendre le choix de ces missionnaires qui ont refusé d'abandonner leurs ouailles en Amérique du Sud, désobéissant ainsi au pape ? Ce genre de conflits, que raconte le film de Roland Joffé *Mission*, se résout entre le prêtre et Dieu, l'Église n'a pas à être juge de cela.

Exagérations religieuses, fanatismes, massacres au nom de Dieu, tortures... L'histoire de l'Église est marquée par des contre-témoignages effarants. Sous le masque distordu de la foi se sont produites des abominations à l'opposé de ce que prône une religion d'amour, et uniquement d'amour. Combien de fois le catholique ne doit-il pas endosser les atrocités que sa religion a entraînées, ou se battre contre l'incompréhension qui entoure les paroles du pape sur la contraception, l'avortement ou l'homosexualité ? J'ai si souvent entendu des amis traiter le pape de monstre... Certaines personnes, dans le métier, se sont détournées de moi parce que le seul mot de « religion » leur donne des boutons.

C'est ainsi que nous nous sommes éloignés, Claude Régy et moi. Nous n'avons pas retravaillé ensemble depuis *Le Cerceau* de Victor Slavkine, en 1990, parce que la religion est venue créer un problème entre nous. Un soir, au restaurant, nous parlions d'une pièce que Claude s'apprêtait à monter. Soudainement, je me suis mis à aborder le thème du pardon, parce que je vivais cela d'une façon intense à ce moment-là, avec toutes les répercussions et les merveilles que cela implique. Tout ce discours l'a gêné : « Je ne crois pas à tout ce que tu dis. Le Christ a fait beaucoup plus de mal que de bien. »

Des gens pensent souvent que Dieu leur a fait du mal, on entend bien cela dans la question : « Mais qu'est-ce que j'ai fait au bon Dieu ? »

Il serait tentant, parfois, de ne rien dire de ses convictions. De nombreux artistes croyants n'ont pas osé parler, notamment sous les régimes communistes, de leur foi. La peur d'être rejeté, de ne plus travailler, en a muselé plus d'un et loin de moi l'idée de les juger ! Mais une des paroles du Christ dit : « Allez et convertissez ! », alors, de mon point de vue, il ne peut s'agir de rester dans son coin et de se taire.

À Samuel Beckett

« Oui, la paix, on y comptait, tout éteint,
toute la peine, tout comme si... jamais été,
ça viendra — (hoquet) pardon — éteindre cette folie,
oh je sais bien, mais quand même on y comptait,
sur la paix, non seulement tout révolu,
mais comme si... jamais été. »
                Samuel Beckett, *Comédie.*

Beckett est un soleil dans ma vie. Une apothéose, survenue dans les années soixante, en plein cœur d'une effervescence créatrice qu'il semble presque impossible aujourd'hui de se représenter.

L'une des principales figures de cette époque délirante du théâtre est le metteur en scène Jean-Marie Serreau. Je n'ai pas croisé de personnalité aussi poétique et fantasque que celle-ci, vivant ce métier avec la passion de l'invention plutôt que l'ambition d'y réussir financièrement. De ce point de vue, il était complètement « à côté de la plaque », et mourut sur la paille, comme Charles Dullin. Mais quelle vie de découvertes incessantes ! C'est lui qui, à Dijon, fit représenter une pièce dans un théâtre en rond, le public au milieu et les comédiens autour : on n'avait jamais vu cela. C'est lui qui introduisit le théâtre de Brecht en France. Pour le jeune comédien que j'étais en 1955, Brecht fut « la » révélation. Dès que j'ai eu un peu d'argent, je me suis rendu au théâtre des Nations, où Hélène Weigel, l'épouse de Brecht, jouait *Le Cercle de craie caucasien* avec le Berliner Ensemble. Je découvris là le spectacle total. Il n'y a pas plus poignant que cette histoire du roi Salomon revisitée par Brecht : deux femmes se disputent un enfant, chacune le tirant par un bout du corps, et celle qui, enfin, le lâche, de peur de le blesser, obtient du roi d'en être la mère : des deux, c'est elle qui a su abandonner la lutte, pensant d'abord à la souffrance de l'enfant. Le sujet est à la limite du supportable, mais Brecht a ce don d'en passer par la drôlerie, de proposer une vision ludique. La distanciation fonctionne doublement : le comédien ne doit pas être le personnage, mais parler comme s'il était le personnage. Et le spectateur est tenu à distance du tragique par le traitement qui l'enchante au sens presque magique du terme. Cette catharsis se produit grâce à la légèreté qui court dans la musique, le décor, le rythme. Quand tout pourrait vous écraser sous le poids d'un message didactique, tout vous emporte dans un tourbillon de génie. Brecht, c'est l'intelligence du théâtre.

Malheureusement, après sa mort, Hélène Weigel ne confia ses pièces qu'aux membres du Parti communiste, ou presque ! Bien sûr, il y eut *Arturo Ui* par Jean Vilar, et d'autres belles exceptions, mais, pendant des années, Brecht fut captif de metteurs en scène politisés. Son théâtre muselé entrait au musée, se fossilisait pour devenir une grand-messe moralisatrice. La barbe.

Beaucoup plus tard, en 1970, Jean-Marie Serreau monta *L'Exception et la Règle* en Tunisie. La pièce compte quatre personnages. Mais nous étions plus d'une vingtaine à Hammamet, car nous jouions en alternance la pièce de Brecht et celle d'Aimé Césaire, *La*

161

Tragédie du roi Christophe, que Serreau, passionné par l'Afrique et les Antilles, avait créée. Il n'y avait que de rares rôles pour des Blancs. Je jouais celui du pape, avec ce comédien extraordinaire, Douta Sek, un Sénégalais qui chantait Mozart comme un dieu. Mais à l'époque, et si odieux que cela puisse paraître, peu de gens étaient capables de reconnaître à sa véritable dimension le talent d'un chanteur d'opéra noir... Nous voilà donc toute une troupe, dont la plus grande partie chômait un soir sur deux... Je n'aurais jamais osé proposer une telle idée à un autre metteur en scène, mais avec Jean-Marie, tout semblait toujours possible : je lui suggérai d'employer les comédiens de Césaire pour le Brecht. Puisque le boy et le colon de *L'Exception et la Règle* ne cessent d'entrer et sortir du plateau, le public découvrirait chaque fois, mais au cours d'une même représentation, un nouveau boy et un nouveau colon ! Jean-Marie Serreau m'accordait une confiance totale. Il accepta tout de suite. J'avais pris ma première initiative de mise en scène.

Avec un homme aussi libre d'esprit, on se sentait prêt à tout. Nous partagions au plus profond un malaise face aux conventions de la société. Et les spectacles que j'ai joués avec Jean-Marie n'ont pas manqué de les bousculer. Il faut imaginer l'arrivée d'un Ionesco, après des années de théâtre engagé où triomphait l'esprit de sérieux. Quand je pense que Ionesco est entré à l'Académie française : pourquoi pas Isidore Isou, pape du lettrisme ?

Tenter seulement de raconter l'histoire de *L'Avenir est dans les œufs* et du *Tableau*, les deux pièces que j'ai interprétées en 1963, relève déjà d'un défi à la raison ! La première met en scène un couple de fiancés, dont la jeune femme, après sa nuit de noces, pond des œufs. Sans arrêt. Des œufs par centaines... Dans *Le Tableau*, voici un peintre déguisé en Pierrot, tout blanc, avec un énorme chapeau. C'est moi. Il essaie de vendre ses tableaux à un marchand un peu torve, Jean-Marie Serreau. Le public de la Gaîté-Montparnasse se tordait. Malheureusement, quand la pièce fut reprise ensuite au théâtre de l'Œuvre, la presse, cette fois, se déplaça. Malheur. Elle démolit aussitôt notre *Tableau*. Voilà quelque chose qui ne cesse de m'étonner : pourquoi chercher systématiquement à faire venir les critiques quand un spec-

163

tacle marche tout seul, sans autre rumeur que celle toute positive du bouche-à-oreille ?

Les petites tragédies de Ionesco faisaient hurler de rire. Ce qui navrait leur auteur : Ionesco était un angoissé véritable. Il avait un sérieux penchant pour la bouteille et je revois sa femme qui le suivait, tout le temps et partout, pour l'en détourner. Un jour, me raconta Jean-Marie Serreau, pendant les répétitions d'*Amédée ou comment s'en débarrasser*, Ionesco fit un drame d'une petite chose, si je puis dire : sur la scène devait s'avancer un énorme soulier. Ionesco demande soudainement que l'on mesure exactement la hauteur de ce soulier ; il avait deux centimètres de trop (ou était-ce le contraire ?). Voilà le drame : sur ce détail vint se focaliser l'immense inquiétude du créateur. Ionesco exigea que l'on modifie la taille du soulier, alors que sa fabrication avait coûté une fortune !

Un jour, Jean-Marie Serreau m'apprend qu'il est question de monter un texte complètement atypique. Sortant tout juste de l'univers assez peu « typique », il faut bien le dire, d'Ionesco, je me demandais ce qu'il pouvait bien entendre par là... Je ne savais pas encore ce que me réservait ce texte de Samuel Beckett, intitulé *Comédie*.

Qu'est-ce que *Comédie* ? Voici trois personnes, chacune dans une jarre, dont la tête seule dépasse, le visage maquillé d'une substance complètement défaite, une espèce de bouillie ou de porridge. Ces trois sont là, tranquillement, et ne rêvent qu'à une chose : être dans le noir, comme ça, et, surtout, qu'on ne les embête pas. Le plateau s'éclaire, légèrement... Alors, mus comme par un réflexe de Pavlov, les personnages se mettent à parler. Tous les trois ensemble. L'homme au milieu, et les femmes chacune d'un côté... Ils commencent à parler, très vite mais sur un ton *recto tono*, c'est-à-dire complètement neutre.

Cette diction sans inflexion, sans intonation pour différencier un mot de l'autre, s'apparente au rythme des lectures monocordes qui ont lieu dans les monastères, pendant les repas.

« Marie-Madeleine-était-assise-auprès-du-puits-et-elle-a-vu-arriver-un-homme-qui-lui-a-demandé-de-l'eau. »

Au réfectoire, les moines entendent lire ainsi chaque jour les Écritures, une vie de saint, ou simplement un journal... Au début,

165

pour qui ne connaît pas, c'est un peu dérou-
tant, et puis l'on s'habitue. Il s'agit, dans ce
type de lecture, de supprimer toute interven-
tion personnelle, de retirer toute interprétation au profit de la seule parole. Le contraire
absolu de l'incarnation, où le comédien a
charge de donner vie, émotion, sensibilité aux
personnages. Pas le moindre relief en vue.

Le texte de *Comédie* dure dix minutes. On
s'arrête. Puis on le reprend, avec deux ou trois
variantes. Le principe dramaturgique, si je
me souviens bien, repose sur l'intensité de
l'éclairage : plus il est intense, plus les personnages, dont on ne voit que la tête grimée
émergeant de la jarre, parlent fort. À l'origine,
la lumière devait venir d'en haut, mais Beckett dit : « Non, cela risque de faire Saint-
Esprit. On va faire partir le faisceau d'en
bas. »

Quand il n'est plus qu'un halo, les personnages ralentissent le débit, jusqu'au noir
total. Alors, silence. Tout le monde se tait. Il
faut reconnaître que la situation est assez inédite pour un comédien sans corps, dont le
visage attend la venue de la torche baladeuse :
dès qu'il la sent sur lui, il se met à parler,
parle, parle, et hop, elle le quitte pour aller se

poser sur le partenaire qui, hop, à son tour, se met à enfiler les mots sur un rythme inimaginable.

Delphine Seyrig, Éléonore Hirt et moi, nous avons travaillé comme des fous, sous la direction de Beckett lui-même, pour arriver enfin à ce qu'il souhaitait : cette vitesse de mitrailleuse et cette neutralité, tout en restant clairs et audibles. Les répétitions en devenaient presque musicales, ponctuées par les tics de chacun des personnages, pour moi un hoquet suivi d'un « pardon », pour Delphine un petit rire sarcastique, rythmant la cadence comme des percussions.

La pièce avait été créée en Allemagne, mais Beckett n'était pas satisfait de la mise en scène. Il n'aimait pas que ces jarres ressemblent à des bonbonnes. *Comédie* avait été joué ensuite en Scandinavie, mais sur un ton tout à fait boulevard, qui lui avait profondément déplu. À Paris, il a décidé qu'il nous dirait, lui, personnellement, comment il fallait la jouer. C'est donc Beckett qui a pris en charge la mise en scène de sa pièce. Jean-Marie Serreau a vite compris qu'il ne pourrait pas suivre. Il s'est modestement éclipsé, demandant de temps en temps à Sam s'il avait besoin de quelque chose. Ce qui se créait sous ses yeux lui paraissait beaucoup plus important que le rôle qu'il pouvait tenir dans cette aventure totalement inédite : jamais un auteur n'avait demandé qu'on scande son texte de cette façon. *A posteriori*, je me reproche de ne pas avoir interrogé Beckett sur ses intentions, de ne pas avoir su lui demander ce qui l'intéressait dans ce contournement de l'interprétation, et à quoi correspondait ce désir d'une diction presque mécanique. J'aurais dû. Mais, sur le moment, je ne me posais aucune question, j'adhérais, avec le sentiment que nous étions en train d'accomplir un exploit. J'étais ivre du défi à relever. Je marchais, complètement.

Plus tard, je me suis servi de cette expérience, notamment pour alléger, un soir d'impasse, les répétitions assez éprouvantes de la pièce de Peter Handke *La Chevauchée sur le lac de Constance*, mise en scène par Claude Régy à l'Espace Cardin, avec Jeanne Moreau, Delphine Seyrig, Sami Frey, Gérard Depardieu, et moi. Claude travaillait beaucoup sur les temps, sur les silences, comme toujours, et nous étudions ensemble toutes formes de variantes, en répétant. Mais, un soir, nous cherchâmes si longtemps qu'au bout de trois heures, Claude dit : « Non. Ça ne va pas. Il faut changer quelque chose. » Alors je me suis mis à débiter mon texte sur le mode de la mitrailleuse monocorde, qui s'était ancré en moi depuis *Comédie*. Évidemment, ce jeu parut tout à fait saugrenu, absolument opposé à cette manière de donner le temps, lentement, au comédien, de se laisser envahir par son personnage. Mais à investir les moindres recoins suggérés en vous par un rôle, il y a quelque chose de sismique. Et pour dire le vrai, nous étions embourbés si profond que ma soudaine initiative fit dire à Claude Régy : « Ce soir, nous avons fait un grand pas en avant. »

Était-ce ce soir-là ou un autre ? Nous répétions à la Comédie des Champs-Élysées, et savions que Maria Callas donnait dans le même immeuble son dernier récital. Nous voilà partis, tous les comédiens de *La Chevauchée*, en quête d'un accès à la salle de concert du théâtre, arpentant des couloirs sans issue. Pour finir, nous avons trouvé une porte, discrètement pris place, et même si elle n'était plus ce qu'elle était, la voix de la Callas nous

169

emmena très haut et très loin du gouffre de perplexité dans lequel nous plongeait cette pièce de Peter Handke.

Comme nous l'avons attendu ! Et comme nous nous sommes précipités sur l'auteur par lequel le salut adviendrait ! Ces personnages, prétendument des fantômes de grands acteurs allemands du temps du muet, qui se retrouvaient dans une maison : qu'est-ce que tout cela pouvait bien dire ?

Alors, Peter Handke, parmi nous :

« Ce que ça veut dire ? Écoutez... Je sais que j'ai eu besoin de l'écrire, mais je ne sais pas, non, je ne sais pas ce que ça veut dire... »

Sa réponse me plut, elle ouvrait sur tous les possibles. On aurait pu croire qu'elle aggraverait notre situation. Mais elle fut libératrice. Pourquoi avoir peur de montrer quelque chose d'apparemment incompréhensible, dès lors que cela résonne en l'auteur d'une certaine façon, si mystérieuse soit-elle ?

Beckett, à côté, semble lumineux ! *Comédie* peut être qualifié de vaudeville métaphysique : un homme aime deux femmes, sa bonne amie et sa femme légitime. Il dit toujours « elle », de sorte qu'on ne sait jamais avec certitude de laquelle il parle. Mais elles sont très jalouses l'une de l'autre. La dimension métaphysique vient de l'allure même des personnages, amochés, peut-être même morts dans un accident d'automobile... Ils se retrouvent dans un *no man's land*, ceux qui sont croyants parleraient de purgatoire — en attendant... je ne sais quoi.

Quand le projecteur arrivait sur moi, mon texte commençait ainsi :

« *Nous n'étions pas longtemps ensemble et déjà elle sentait un rat* » : traduction littérale de l'anglais « *she smells a rat* », qui signifie « il y a anguille sous roche », mais qui, traduit mot à mot en français, ne veut plus rien dire du tout. Je ne sais pas pourquoi Beckett, qui s'est lui-même traduit, n'a pas voulu adapter cette expression. Sans doute n'avait-il pas trouvé d'équivalent à ce que l'anglais lui permettait de dire. Mais en entendant « elle sentait un rat », les gens pensaient évidemment à autre chose...

Et je continuais ainsi :

« *Laisse tomber cette traînée, dit-elle, ou je me coupe la gorge,* — (hoquet) *pardon — aussi vrai que Dieu me voit.* »

Apparemment, dans ce « dit-elle », l'homme évoque la femme légitime en train de lui faire

171

une scène de ménage. Et lui se défend, parle ensuite du bonheur complet d'avoir ces deux femmes :

« *Un petit youyou, sur la rivière. Je lâche les avirons et regarde mes beautés, pâmées à l'arrière sur du Dunlop pillow. Au fil de l'eau. Ah rêves.* »

Il y avait, dans *Comédie*, une dimension tellement drôle ! Le résultat était comique, et le public emballé. Il faut dire que le lieu était acquis à l'esprit d'avant-garde. Le Pavillon de Marsan, où nous avons joué la pièce en 1964, n'était pas un théâtre mais un musée. François Mathey, grand conservateur, le dirigeait avec une liberté d'esprit qui lui permettait de travailler au nom de la littérature. Cet homme étonnant, prêt à toutes les aventures, accueillit *Comédie* dans une soirée assez prophétique sur le théâtre, composée de cinq spectacles dont l'un était adapté d'un texte de Borges, encore jamais lu en public. Il y avait aussi les marionnettes d'Yves Joly, et, au chant, Cathy Berberian en personne, interprétant une composition de son mari, Luciano Berio. Et Victor Garcia. Ce jeune Argentin avait mis en scène une pièce de Valle-Inclán intitulée *La Rosa de papel*... Ce Victor García, auquel on

172

doit des mises en scène complètement ahurissantes, des *Bonnes* notamment, s'est révélé un phénomène. Il a malheureusement sombré dans la drogue au bout de quelques années...

Après avoir joué *Comédie* devant les amateurs de choses rares du Pavillon de Marsan, nous avons repris la pièce chez Jean-Louis Barrault et Madeleine Renaud, au théâtre de l'Odéon, qui était encore le théâtre de France. Mais pour le brave public de Jean-Louis, *Comédie* en ouverture de soirée était tout simplement un scandale. Les spectateurs poussaient des cris, sifflaient à la fin... Par chance, ils avaient oublié les œufs et les tomates.

Les mentalités avaient changé — heureusement, elles changent — quand nous avons joué avec Jean-Louis Barrault les trois dernières créations en français de Beckett, en 1983, au théâtre du Rond-Point, dans la mise en scène de Pierre Chabert. Beckett avait toujours patronné, aidé cet homme de théâtre pour lequel il s'était pris d'affection. Il lui accordait toute sa confiance, alors qu'il se montrait souvent d'une exigence très sélective. Quand il était au théâtre Récamier, Jean-Louis Barrault avait voulu monter *Dis-*

moi, Jo, que Beckett avait écrit pour la radio, je crois. Jean-Louis ne parvenait pas à obtenir de réponse de Sam, quand ce dernier décida pour finir de lui envoyer sa femme, Suzanne... J'entends encore très bien, dans la loge, Suzanne Beckett dire à Jean-Louis Barrault : « Pour *Dis-moi, Jo,* Sam m'a chargée de vous dire qu'il ne voulait pas... »

Mais il accepta que Chabert mette en scène trois petites pièces de lui : *L'Impromptu de l'Ohio, Berceuse* et *Catastrophe.* Dans *Berceuse,* Catherine Sellers se balançait sur un rocking-chair, entendait la voix de sa mère, et, de temps en temps, disait : « Encore... » C'est tout ce qu'elle avait à faire : se balancer. *L'Impromptu de l'Ohio* nous réunissait, Jean-Louis Barrault et moi, au coin d'une longue table. Nous étions vêtus de noir, portant des chapeaux un peu pointus qui m'évoquaient ceux des médecins de Molière. Je lisais, lentement, un texte qui racontait une histoire d'amour, avec de très belles phrases sur cet amour perdu dans le décor de l'île des Cygnes, petite bande de terre longitudinale qui va du pont Bir-Hakheim à celui de Grenelle. Jean-Louis m'écoutait, et, de temps en temps, frappait la table d'un coup sec. Alors je m'arrêtais, et je reprenais la phrase précédente. Comme s'il avait besoin de réentendre ce qui venait d'être dit.

Catastrophe, pièce que Beckett avait écrite en hommage à Vaclav Havel, donnait à voir une sorte de hère, un homme assez loqueteux, installé sur un piédestal, autour duquel tournaient un metteur en scène, que j'interprétais, et son assistante, Catherine Sellers. Nous dialoguions à propos de cet artiste dissident — Jean-Louis Barrault — dont nous parlions comme d'un objet. Nous devions l'« arranger », pour qu'il soit présentable au moment d'une interview par d'éventuels journalistes occidentaux. Le but était de montrer à quel point le régime était prévenant envers les artistes. Un roman de Winfried Georg Sebald, *Austerlitz,* dont j'ai eu récemment l'occasion de lire des extraits pour les Lectures en Arles, décrit d'une façon bouleversante comment fut aménagée une partie d'un camp afin de donner le change aux visiteurs extérieurs et notamment la Croix-Rouge : on y avait construit un vrai décor de théâtre évoquant une vie sans histoires dans un village fleuri, avec sa boulangerie et son bureau de poste, tout était mis en œuvre pour faire illusion. Les prisonniers du camp étaient arrangés à la hâte, il fallait maquiller les bleus, dissimuler les écorchures pour ne pas laisser supposer leur réalité quotidienne : se faire tabasser chaque jour.

Déjà affaibli par le cancer qui le rongeait, Beckett venait au Rond-Point pour suivre le travail. Il était à peu près d'accord sur tout, n'intervenait que très peu, quand il s'était montré si présent pour *Comédie*... Je ne l'ai revu qu'une fois ensuite. Il avait demandé à Roger Blin d'enregistrer ses poèmes, mais Roger, trop malade, ne pouvait pas. Alors il s'est tourné vers moi. Comme il n'aimait pas donner rendez-vous chez lui, nous nous sommes vus au PLM Saint-Jacques, cet hôtel où Jean-Pierre Melville est mort d'une crise cardiaque. C'était au beau milieu d'une après-midi, et la cafétéria était vide.

« Sam, lui dis-je alors, je ne comprends pas toujours ce que vous avez écrit.

— Dites-moi, je vais vous expliquer. »

Et il se mit à expliquer. Patiemment. J'aurais tant aimé l'enregistrer, mais le magnéto-phone lui déplaisait. Alors j'ai pris des notes, mais si rapides que je ne suis quasiment pas arrivé à me relire. Je me souviens que je butais sur certains termes dans la lecture des poèmes. À un moment, un lapin retourne à son terrier, parce qu'il sent les chasseurs approcher. Avant de disparaître dans le trou, il « fait chandelle ». Je ne connaissais pas cette expression : j'appris par Beckett qu'avant de se jeter dans les trous, les lapins font chandelle, c'est-à-dire qu'ils se dressent sur leurs pattes. Et alors, pan ! Le chasseur leur tire dessus. Éclairé par ce moment passé avec lui autant que par ses explications, je lus ses poèmes.

Nous avions une relation amicale, mais Beckett n'était pas un de ces amis que l'on voit en dehors du travail. Je me souviens d'être tombé sur lui à Roland-Garros, où je suivais les matches de tennis avec passion. Lui aussi, visiblement.

Beckett était l'élégance même, intérieure comme extérieure : de pensée, de stature, et jusque dans sa façon de se mouvoir. Un seigneur, avec sa belle tête d'oiseau, ses yeux bleus, un parler d'une noblesse incroyable. Et d'une totale intégrité artistique et intellectuelle. Le jour où il a décidé que c'était fini, parce qu'il pensait avoir dit ce qu'il avait à dire, ce fut terminé. Il refusa interviews, radio, télévision, journalistes : « Je ne veux plus voir personne. » Il a tiré le rideau et a tenu parole. Après le prix Nobel, le monde entier le sollicitait pourtant !

Un écorché, Beckett. Il avait été élevé d'une façon tellement stricte, dans l'Irlande protestante, et très tôt traumatisé par le côté formel de la religion. Comme a pu l'être Buñuel dans son enfance, par le catholicisme : dans *Mon dernier soupir*, il raconte comment il fut choqué et effrayé par les cortèges sinistres de silhouettes cagoulées, avançant sur les chemins de pénitence en se frappant le corps... Cette angoisse lui a fait exécrer tout ce qui pouvait ressembler à une manifestation religieuse. Pendant des siècles, dans tout ce qui avait trait au corps, le christianisme a exigé beaucoup plus que le Christ ne l'a jamais demandé : le méprisant, évoquant les « parties honteuses »...

Mais s'il s'est révolté contre la religion, Buñuel n'en a pas moins parlé de Dieu, tout le temps. Dans *L'Ange exterminateur*, les personnages règlent, et méchamment, leurs comptes entre eux dans une église, quand, soudain, la porte s'ouvre, et quoi ? Voici que

178

l'on voit sortir de la même église un troupeau de moutons. Dans un autre film, il reconstitue la Cène, montrant le Christ entouré d'apôtres qui sont des mendiants en loques. Pourquoi pas ? Les apôtres n'étaient sans doute pas miséreux, Pierre était pêcheur, Matthieu douanier, un autre était médecin, mais le Christ n'a-t-il pas dit : « Je suis venu pour les pauvres » ? Buñuel va droit au but. Son propos critique l'hypocrisie, le faux-semblant dans lesquels vivent certains fidèles, mais lui était attaché à un idéal de justice et même de compassion. Je me souviens que Buñuel était très ami avec le grand philosophe chrétien José Bergamin, que j'ai eu la chance de fréquenter par l'intermédiaire du père Moubarac, prêtre maronite de l'église Saint-Séverin. Bergamin vivait très pauvrement à Paris, dans une espèce de placard à balais que Malraux lui avait trouvé dans le Marais. Heureusement, on l'invitait beaucoup à dîner. On ne se lassait pas de l'écouter : je me souviens de la façon lumineuse dont il abordait Bernanos.

Buñuel et Beckett parlent de Dieu, sans arrêt. À contre-courant... Prisonniers des images de leur enfance, ils s'en sont libérés en optant pour un anticléricalisme féroce. Mais de quoi parle l'œuvre de Samuel Beckett ? De Dieu et des pauvres. Et dans sa vie, Sam a fait comme saint Martin : il a retiré sa veste pour la donner à quelqu'un qui grelottait de froid. Il était tout à fait dans ce que j'appellerais le *feeling* du Christ, mais ne supportait pas la calotte. Il faut dire qu'il y avait de quoi. Jusqu'à la fin du siècle dernier, beaucoup d'ecclésiastiques avaient malheureusement tout mis en œuvre pour éloigner du Christ, déployant un arsenal de punitions, de condamnations qui faisaient fuir les êtres de bonne volonté. En réalité, Beckett était un homme de compassion incroyable, il aimait le genre humain, profondément.

Au contraire des belles histoires de rois et reines, les héros de Beckett sont toujours des pauvres et des rejetés, des SDF dirait-on aujourd'hui. Que ce soit dans *En attendant Godot* ou dans *Oh les beaux jours !* — cette femme dans son trou, avec la tête qui dépasse —, il pointe une situation où des gens dépourvus de tout se montrent à travers leur misère... Madeleine Renaud le dit si merveilleusement : « Oh le beau jour encore que ça va être ! » Elle appelle son mari, on entend un vague grognement. « Viens, mon chéri, viens te faire voir comme tu es beau », et l'on voit surgir un énergumène complètement déjanté. C'est le comble de la dérision. De cette scène émane une joie immense au milieu de la pire détresse. *Fin de partie*, c'est pareil. De petits vieux, dans des poubelles, commencent à délirer. Peut-on aller plus loin dans cette représentation de l'absurde par les extrêmes ?

Beckett a mis les miséreux en majesté. Jamais personne ne l'avait fait à ce point. On ne manquait pas de pièces où il y avait des misérables, comme *Les Bas-Fonds*, de Gorki, ou *Mangeront-ils ?* de Victor Hugo peuplés d'être en détresse. Mais lui, Beckett, en a fait les héros de son œuvre, les hissant à une grandeur universelle qui passe par des mots rares, chargés de désespoir.

Premier Amour, que j'ai lu à plusieurs reprises, raconte l'histoire d'un type dont personne ne veut plus. Chassé de chez lui, il se trouve une place sur un banc, s'y installe, enfin peinard. Mais voici que s'approche une femme qui vient l'embêter. Son comportement vis-à-vis d'elle est parfaitement décalé : « Mais si, vous pouvez mettre votre tête sur mes genoux, ça ne me gêne pas... » À mourir de rire. Aussi.

La fin de Beckett est aussi étrange que l'est son œuvre. Il s'était réfugié dans une maison de retraite du XIVe arrondissement. Une grande bâtisse, qu'il n'a plus quittée. Quand sa femme, Suzanne, avec laquelle il ne vivait plus, est morte, quelqu'un a dit à Beckett :

« Il faut que tu retournes chez toi maintenant.

— Non, ce n'est pas la peine, je préfère rester parmi mes semblables. »

Il occupait une petite pièce. Et de là, il répondait à son courrier, faramineux, qui arrivait du monde entier, un petit mot pour chacun. Fidèle en amitié, il ne négligeait personne. J'ai su qu'il s'était occupé, jusqu'à la fin, d'un couple d'amis musiciens. Quand ils sont devenus grabataires tous les deux, et vivant dans la misère la plus totale, Beckett allait faire le marché pour eux, nettoyait leur maison, s'occupait de la cuisine, et cela pendant des mois. D'où lui venait cette capacité d'être à ce point disponible à la souffrance de l'autre ? De la guerre, où, comme infirmier, il avait côtoyé de si près la douleur humaine ? Toutes ces attentions, si matérielles, si modestes, délivrées par quelqu'un de son envergure...

Là est la vraie beauté. Je crois que je ne me remettrai jamais de l'émotion d'avoir connu quelqu'un comme Samuel Beckett. Aucun compromis, pour rien. Une allure souveraine alors que le chagrin et la détresse humaine le rongeaient. Et cette intelligence absolument hors du commun. Voilà les grands créateurs. On sait bien qu'au fond il y a un gouffre. Pour Marguerite Duras, ce fut le drame de l'alcool. Mais ce mal de vivre, ils le subliment dans leurs œuvres, qui inspirent notre immense admiration. Dans ma vie, Samuel Beckett fut le grand exemple.

VISITES...

À Marguerite Duras

« *La rencontre promet davantage*
que ne peut tenir l'étreinte. On dirait,
si je peux m'exprimer ainsi,
qu'elle ressortit à un ordre supérieur des choses,
cet ordre qui fait se mouvoir les étoiles
et féconde les pensées. »

Hugo von Hofmannsthal,
Les chemins et les rencontres.

Archiver sa vie, avec l'illusion d'en conserver chaque moment sous la forme de papiers
ou de livres, être incapable de jeter : est-il
possible d'avoir autant accumulé ? Quand il
s'agit de mettre de l'ordre autour de moi,
des amis viennent m'aider : à le faire seul, je
m'émeus. Jeter, c'est m'ôter une écaille. Une
enveloppe pour chaque représentation de

185

théâtre, les petits mots des camarades, les photos, tout s'entasse dans des boîtes, et des tiroirs entiers sont remplis de lettres. Beaucoup de ces correspondants sont morts. Chaque lettre est un trésor, chaque lettre est un être humain. Quant à jeter un livre... C'est comme si je jetais quelqu'un. Je garde ainsi, au titre de relique, mon exemplaire de travail de *L'Amante anglaise*, la pièce de Marguerite Duras. Je l'ouvre, et tout me revient d'un seul coup. À la première page, j'avais noté par prudence :

« Vous serez aimable de rapporter ce texte à Michael Lonsdale soit au TNP... soit... Merci. Un distrait qui vous donnera deux places pour voir le spectacle. »

Et juste après, voici la dédicace de l'auteur : « Pour Michael, pour Michael, pour Michael. »

Marguerite.

Marguerite, tout elle, en effet.

Ce livre raconte mieux que n'importe quelle anecdote la création de la pièce de Marguerite Duras, l'hiver de 1968, au TNP, dans la mise en scène de Claude Régy. Elle assistait aux répétitions, se montrait très attentive, mais sans aucun désir, à cette époque, d'intervenir. Seulement au niveau du texte, qui changeait tout le temps, un jour sur l'autre. Quinze jours avant la première représentation nous avons exigé d'elle de ne plus rien modifier, nous ne savions plus où nous en étions ! Je crois que si on ne l'avait pas arrêtée, elle serait encore en train de l'arranger...

« Tu as toujours ton exemplaire ? » me demanda un jour Marguerite en faisant allusion à ce torchon magnifique : morceaux écrits par elle entre les lignes imprimées, passages rayés, repris, indications ajoutées par l'assistant, par moi, inscriptions en tous sens... Pages couvertes de signes de toutes les couleurs, on dirait presque un tableau... Pages à peine déchiffrables, avec leurs becquets, débordant de partout, et leurs ajouts manuscrits, ou tapés à la machine. Et je t'enlève cette phrase, et je te remets ce passage avant, et celui-ci après... J'ai beaucoup d'émotion à feuilleter cet objet, irremplaçable témoin. Nous avons joué *L'Amante anglaise* jusqu'à la mort de Madeleine Renaud : quand est-ce qu'elle est morte, Madeleine ? J'ai dû jouer cette pièce pendant trente ans, pas tout le temps, mais si longtemps...

Je retrouvais Claude Régy, avec lequel je n'avais pas travaillé depuis plusieurs années pour des raisons principalement financières : il montait des pièces avec tant de comédiens qu'il ne pouvait les payer tous et j'avais besoin de gagner ma vie.

L'histoire a commencé un peu douloureusement. Loleh Bellon connaissait Marguerite Duras pour avoir travaillé avec elle sur *La Bête dans la jungle* de Henry James, dans laquelle elle était magnifique. Plus tard, Delphine Seyrig reprit le rôle. À l'époque, pour moi, le nom de Marguerite Duras était associé aux livres que j'avais lus d'elle bien sûr, mais, plus fort que tout, au grand choc du film d'Alain Resnais *Hiroshima mon amour*. J'avais été complètement époustouflé par ce dialogue. Et ce titre ! Il fallait oser, tout de même, mêler ainsi l'amour à ces morts.

Et puis est arrivée dans ma vie cette lecture de *L'Amante anglaise*. Loleh Bellon me fit part de l'idée qu'elle avait eue avec Claude Régy et qui, à vrai dire, me sembla tout de suite étrange : comme Madeleine Renaud ne pouvait pas jouer tous les soirs, ils avaient imaginé de donner, en alternance, deux versions de la pièce : l'une jouée par Madeleine et un homme de son âge, « et une autre version plus jeune, m'expliqua Loleh, avec toi et moi ».

J'étais un peu étonné, certain que le public viendrait voir jouer Madeleine Renaud en priorité, et encore sceptique quand nous avons commencé les lectures. Au final, Marguerite annonça à Loleh qu'elle ne faisait plus partie de la distribution. Ce brutal évincement me parut d'autant plus injuste que j'avais été embarqué dans cette histoire grâce à elle. J'aurais d'ailleurs pu être débarqué à mon tour, si j'avais accepté le rôle du mari que me proposait Marguerite et qui ne m'intéressait pas du tout : le couple que nous aurions formé avec Loleh aurait été congédié d'un seul coup. Heureusement pour moi, si je puis dire très égoïstement, j'avais demandé le rôle de l'interrogateur. Je préférais être celui qui pose les questions.

Marguerite accepta. Nous restâmes, Madeleine et moi, avec Claude Dauphin dans le rôle du mari. Marguerite avait été fascinée par ce fait divers qui lui avait déjà inspiré *Les Viaducs de la Seine-et-Oise* et qu'elle avait repensé un peu différemment, refaisant les choses, revenant dessus, remettant l'ouvrage sur le métier, comme elle en prendrait l'habitude pour le cinéma. L'histoire est la suivante : une petite dame a tué son mari, l'a découpé en morceaux qu'elle a jetés dans les wagons des trains qui passaient sous le viaduc de la ville où elle habite. On a retrouvé ainsi de la barbaque à tout bout de champ, dans tous les terminus de France : San Remo, Biarritz, Calais, Brest, Vintimille... En suivant le parcours du train, la police parvient à appréhender cette femme. Il me revient qu'elle avait même déposé des doigts dans les boîtes aux lettres... Elle n'était pas bien du tout, la petite dame ! Il y a une chose, une seule, qu'elle n'a jamais voulu dire : où elle avait mis la tête.

Il s'agissait donc, dans *L'Amante anglaise*, d'un interrogatoire, pour découvrir un peu ce qui s'était passé. Dans la pièce, Claire Lannes ne tue pas son mari mais assassine et découpe en morceaux sa cousine sourde-muette : une grosse femme qui mangeait tout le temps, et lui était devenue insupportable. Un jour, j'ai reçu l'appel d'un jeune comédien complètement perdu, à la recherche désespérée, croyait-il, d'une attitude sur scène pour son rôle de l'interrogateur.

« Je ne trouve pas le personnage, me dit-il.

— Il n'y a pas de personnage à chercher, lui ai-je répondu. Ce n'est pas quelqu'un qui a une histoire ou qui vit un sentiment. Non, non, non, il faut vous enlever tout cela de la tête et travailler la situation d'un homme qui fait parler cette femme pour la délivrer de son cauchemar. Comme ça, avec une voix très douce, quelqu'un qui l'incite à se dire, en confiance, pas du tout un inquisiteur. Il n'existe que par le désir de faire accoucher cette femme de son récit jusqu'à ce qu'il comprenne qu'elle ne dira jamais où elle a mis la tête. »

Je faisais allusion à la fin de la pièce, où l'interrogateur lui demande : « Mais pourquoi vous l'avez tué ? » Madeleine Renaud avait alors — en râlant, parce qu'elle avait horreur de ça — un silence.

Et lui : « Vous ne pouvez pas le dire ? »

Et elle : « Non. »

Et l'homme s'en va, parce qu'il sait très bien qu'il n'en tirera plus rien. Pendant la première heure, qui se passe avec le mari, je me souviens d'avoir entendu dans le public de la salle Gémier, à Chaillot, des gens qui chuchotaient : « C'est un inspecteur... », « C'est un psychanalyste... ».

Mais l'interrogateur n'était personne, personne d'autre que Marguerite, ou plus exactement les questions que Marguerite Duras aurait posées elle-même à cette femme qui avait tué sa cousine et l'avait coupée en morceaux. La mise en scène de Claude Régy favorisait cette neutralité du rôle : pas de psychologie, pas de référence, rien qu'une voix, la voix qui ferait parler la meurtrière.

Je me souviens comme c'était difficile, parfois, avec Madeleine Renaud, pour *L'Amante anglaise*. Quand Claude Régy commençait à lui expliquer quelque chose, elle disait : « Mais, mon petit chéri, dis-moi simplement une chose, c'est une amoureuse ? Bon, alors ça me suffit, j'ai compris... »

Ça ne passait absolument pas par la tête, ou, comme chez Louis Jouvet, par la construction. Non. Ça lui venait comme ça, Madeleine appartenait à cette race des acteurs d'instinct. Ils ressentent intensément les choses, à mille lieues d'un travail concocté, préparé pendant des heures.

Quand Jouvet a monté *Jean de la lune* de Marcel Achard, Michel Simon, indépendantiste farouche, changeait son jeu tous les jours et Jouvet devenait fou : « Je ne peux pas le mettre en scène, se plaignait-il, il n'écoute pas ce que je lui dis. » Michel Simon opinait toujours : « Oui, oui, très bien... », mais il ne faisait jamais ce qu'on lui demandait. À l'heure de l'ovation, Jouvet ne savait plus très bien à quoi s'en tenir. Deux mondes... qui n'avaient rien à voir.

Moi, j'essaie de comprendre ce qu'on me demande, mais je me débrouille mieux tout seul. À force de travailler avec Claude Régy, j'avais appris à sentir ce qu'il voulait. Je lui dois beaucoup sur l'exploration de ce que nous appelions le « rêve du jardin secret » : tout ce que l'on peut dire à travers un rôle.

Après *L'Amante anglaise*, et sur une période de dix ans, j'ai fait trois films avec Marguerite, dont *India Song*. Au théâtre, je jouais *L'Éden cinéma*, puis cette pièce avec Bullette — c'est ainsi que je surnomme ma chère petite Bulle Ogier : *Navire Night*. Mais *L'Amante anglaise* a été vraiment le piédestal de notre amitié, le début de ce qui deviendrait, entre Marguerite et moi, une espèce de connivence difficile à décrire, parce qu'elle semblait presque remonter à l'enfance. Nous étions ensemble comme des gamins. Je n'avais pas de rapport intellectuel avec elle, c'était d'un autre ordre. Elle m'agaçait parfois avec son féminisme exacerbé, et je ne la suivais pas toujours quand elle parlait politique, ce qui ne nous a pas empêchés d'avoir une vraie relation, une sympathie extrême. Extrême. Elle m'acceptait comme j'étais.

Au cinéma, tout avait commencé par *Détruire, dit-elle*. Marguerite m'avait fortement impliqué dans sa recherche d'un acteur pour le rôle de Stein. Elle faisait passer des auditions chez elle où elle avait convoqué tous ses amis, tous les gens du métier. Roger Blin, Michel Bouquet, Roland Dubillard venaient lire le scénario. Et moi, tellement gêné d'assister à l'audition de tous ces gens beaucoup plus calés que moi :
« Je vais te laisser seule avec eux.
— Non, reste là, je sais pas quoi leur dire.
— Mais qu'est-ce que tu veux que je leur dise, moi ? »
Elle les écoutait, les écoutait. Ça n'allait pas... Pour en finir, après plusieurs jours d'hésitation, je lui propose :
« Si tu ne trouves personne, je veux bien le faire, ce rôle !

— Mais oui... Pourquoi n'y ai-je pas pensé plus tôt ? »

C'est comme ça que j'ai joué Stein, et ce rôle a renforcé notre amitié parce que ce Stein comptait beaucoup pour Marguerite. Il revient tout le temps, dans tous les livres, même Yann Andréa est appelé Steiner. C'est le juif. Dans la vie de Marguerite, l'identité juive a tellement compté...

À l'époque de *Détruire, dit-elle*, Marguerite Duras ne savait rien du cinéma. Je l'entends encore au début du tournage :

« Je ne sais pas où mettre la caméra, je ne suis pas metteur en scène, je suis un écrivain qui fait du cinéma. »

Nous avons tourné dans la propriété d'un grand banquier qui nous avait donné l'autorisation d'utiliser le jardin, les communs, mais pas la maison. Celle-ci était très cossue, pleine de choses rares, et l'on comprenait aisément pourquoi cet homme n'avait aucune envie de voir défiler des gens du cinéma dans son intérieur. La plupart des scènes du film se passaient donc dans le jardin. Mais un jour, Marguerite eut besoin du claquement d'un couvercle de piano. Elle a demandé alors à ce

195

monsieur si l'on pouvait passer seulement une demi-heure dans son salon, où se trouvait un très beau piano, pour faire quelques sons. Se gardant bien de lui dire de quel genre de sons il s'agissait...

Il accepta, mais à la condition que tout cela se déroule sous la surveillance du gardien de la propriété. Naturellement. Nous avons ouvert le piano, et passé une bonne heure à essayer d'en faire claquer le couvercle plus ou moins fortement, en cherchant l'intensité que Marguerite voulait obtenir. Curieusement, j'ai gardé de ce tournage, plus que tout autre souvenir, celui de ce moment de complicité et de charme, sans doute parce que la recherche d'un bruit de couvercle de piano était un travail si peu courant.

Il y avait quelque chose de réjouissant à partager la première expérience de cinéma de Marguerite Duras, avec Henri Garcin, et Catherine Sellers, Nicole Hiss, Daniel Gélin... Il y a une scène où tous ces gens, invités autour d'une même table, parlent en même temps pendant le déjeuner, or Marguerite ne connaissait rien à la fabrication de ce qu'on appelle un raccord. Quand dix personnes sont en train de parler, cela devient assez vite infernal de ce point de vue-là. Et si vous fil-mez telle personne au moment où telle autre parle, on ne s'y retrouve plus, et les choses se révèlent extrêmement compliquées au mon-tage. Marguerite devenait folle :

« Je ne comprends rien !

— Laisse-moi faire, j'ai l'habitude, c'est mon métier », lui répondait Lydie Mayas, la monteuse, qui sauva la mise.

Au final, un travail impeccable, subtil et fin.

Catherine Sellers jouait cette femme qui voulait aller dans la forêt, toujours, toujours, et Marguerite : « La forêt, c'est l'inconscient. »

À partir de là, elle a commencé à prendre goût au cinéma, tournant *Jaune le soleil* avec Sami Frey et Gérard Desarthe, où je ne fis qu'une apparition, puis le fameux *India Song*. Dominique Sanda avait été pressentie pour le rôle que tiendrait finalement Delphine, mais elle avait décliné la proposition sous le pré-texte que ce n'était pas le type de choses qu'elle souhaitait jouer ; je crois même qu'elle a fait dire que cela ne correspondait pas à son « standing », ce qui nous a fait sourire.

Alors là, nous avons vécu des choses incroyables. Inoubliables. Le premier jour, nous commençons la scène du bal : musique et texte. Et voilà que l'ingénieur du son nous arrête tout de suite :

« Attendez, attendez ! Où allez-vous comme ça ? C'est impossible : ou bien il y a la musique et il n'y a pas de parole, ou bien il y a de la parole et pas de musique. On n'enregistre jamais musique et dialogue en même temps, la musique est ajoutée après. C'est l'un ou l'autre. »

Marguerite a réfléchi trois minutes :

« Bon, ils ne parleront pas. »

Et c'est ainsi que le film a été tourné sur la musique de Carlos d'Alessio avec des voix *off*. Voilà une chose qui s'est produite complètement par surprise. Marguerite pensa tout de suite que nous ne pourrions pas danser en mesure sans musique, que cela nous aidait beaucoup pour jouer la scène et qu'au fond, ce serait à peu près la même chose de la jouer sans parler. Un problème technique se transformait en invention.

Auparavant, Georges Peyrou avait mis en ondes *India Song* pour France-Culture, avec Viviane Forrester dans le rôle d'Anne-Marie Stretter et moi dans celui du vice-consul. L'émission plaisait tellement à Marguerite qu'elle a demandé à Peyrou l'autorisation d'utiliser la bande-son pour le film. D'autres voix *off*, dont celle de Delphine remplaçant Viviane, ont été ajoutées.

C'est donc pour l'émission de Peyrou, et non pas sur le tournage du film, que j'ai enregistré les cris du vice-consul. Puisqu'ils devaient venir du jardin, il fallait donner l'impression d'être à l'extérieur. Nous étions sortis des studios à la recherche d'atmosphères différentes, arpentant les couloirs de la Maison de la radio, en poussant des cris, et les gens demandaient : « Qu'est-ce qu'il y a ? C'est une crise de démence ? »

Nous avons fait de nombreuses prises : j'ai hurlé pendant plus de deux heures. *India Song* est arrivé à un moment de ma vie où j'étais totalement malheureux, où j'avais, sans le savoir, envie de hurler. Je n'imaginais pas que ces cris me soulageraient mais j'étais si mal alors, tellement sous le coup de la maladie de ma mère, que la rencontre avec le rôle a dépassé ce qui était prévu, devenant une véritable catharsis.

C'est un grand moment dans ma vie de comédien, la preuve que vous pouvez investir dans un rôle tout ce qui vous traverse personnellement. Je ne souffrais pas du tout pour les mêmes raisons que le vice-consul, qui était ivre, mais certains aspects du personnage recoupaient ma recherche d'un au-delà. Des paroles qui disent que ce n'est pas maintenant que vous pouvez faire tout ce que vous voulez, mais plus tard, dans une autre vie.

Autant de phrases que je ressentais comme miennes. Cette intimité se passe dans une part de soi-même qui ne peut être analysée : états d'âme, recoupements, partages, affects, conceptions de la vie, toutes ces choses furtives mais profondes, que l'on n'a pas toujours la possibilité d'exprimer. Ce rôle est venu comme pour libérer toute la souffrance que j'avais en moi. Et quand on me parle de performance d'acteur, je dois avouer que je n'ai presque pas eu de mal à jouer le personnage du vice-consul.

Marguerite a dit qu'elle se sentait très proche de lui. Je crois qu'elle a toujours couru après un amour qui n'a jamais été. Elle a eu des amants, beaucoup d'hommes dans sa vie, mais j'ai l'impression qu'elle voulait plus encore. Que dit le vice-consul en déclarant son amour ? Il dit à cette femme qu'ils sont faits l'un pour l'autre, pour être ensemble, de toute éternité. C'est une déclaration d'amour total, absolu, d'avant et d'après le temps. C'est ce que l'on retrouve par exemple chez Rilke dans les *Sonnets à Orphée*, ce chant poétique où se dit l'amour qui n'est pas de ce monde, et je crois d'ailleurs que la vie privée et sexuelle de Rilke, comme, dans un autre genre, celle de Kafka, était pauvre. On exprime le cœur et l'amour comme l'on peut et par vocation l'artiste se situe, me semble-t-il, dans un temps de tous les temps.

Je ne crois pas qu'il y ait trente-six mille formes d'amour. L'amour charnel, l'amour-passion sont souvent faits d'autre chose. Quand un être est dévoré par un autre, prenons le cas de Roméo et Juliette, il n'y a plus d'envie de vivre. Marguerite parlait d'amour comme personne à notre époque, mais à la façon de Rilke, elle parlait d'amours qu'elle ne vivait pas. Elle a eu des passions. À en mourir ? Dans ses textes sûrement, dans la vie je ne sais pas. Les grandes amours sont si rares à vivre : Héloïse et Abélard évidemment, mais si l'on regarde l'exemple de Kafka et Milena, on imagine combien cet amour devait être très miséreux à vivre. Parce que ce dont le cœur a conscience, ce que le cœur sait de l'amour, est en quelque sorte inatteignable ; Virginia Woolf le dit aussi. Cet amour traverse les êtres comme une prescience d'un autre monde, où les choses sont autrement.

Au plus profond de moi, je suis persuadé que tout ce que peut imaginer ou pressentir l'homme est vrai. On ne peut pas imaginer des choses qui n'existent pas. Si l'on ressent quelque chose de l'ordre de l'éternel, même si l'on ne peut pas lui donner une image parce que le mortel ignore tout de l'immortalité, c'est que l'éternité existe.

J'ai toujours aimé des femmes qui étaient amoureuses d'autres hommes. Le vice-consul a dit à Anne-Marie Stretter ce que je ressentais profondément pour Delphine Seyrig.

Le vice-consul : « *Il est tout à fait inutile qu'on aille plus loin, vous et moi. Nous n'avons rien à nous dire. Nous sommes les mêmes.* »

Anne-Marie Stretter : « *Je crois ce que vous venez de dire.* »

Le vice-consul : « *Les histoires d'amour, vous les vivez avec d'autres. Nous n'avons pas besoin de ça.* »

La situation était pour le moins troublante. Ma vie amoureuse fut ainsi faite. C'est pourquoi j'aime tellement Tchekhov, dont j'ai joué le rôle de Trigorine dans *La Mouette*, parce qu'il s'agit toujours de quelqu'un qui aime quelqu'un qui aime quelqu'un d'autre et ainsi de suite... C'est misère... J'en ai beaucoup souffert, mais je n'ai aucun regret de ne pas m'être marié. À un moment donné j'ai cru que je serais homosexuel. Non : les quelques affleurements qui ont eu lieu en ce sens ne m'ont pas du tout intéressé. Je resterais célibataire, sans doute pour avoir trop vu ceux que j'aimais se disputer, se haïr, jusqu'aux hurlements et aux coups. Cette destruction de deux êtres qui ne parviennent pas à se séparer m'a rendu effroyable la perspective de la vie maritale. Je ne pouvais m'engager par peur de souffrir et de faire souffrir. Je ne supportais pas l'idée que deux personnes qui s'aimaient ne s'aiment plus. L'amour mystique est sans fin. Alors que les amours humaines...

Peut-être est-il possible, pour des couples unis par la foi, de transcender ce que la routine et l'impasse provoquent chez tant de gens au bout d'un certain nombre d'années ? Si l'on s'aime en foi, il y a moyen de mettre Dieu dans l'amour. Or Dieu, lui, ne change pas. Et qu'est-ce que Dieu ? Pour moi, il est le rassemblement de tout l'amour du monde. Si l'on concentrait l'amour dont chaque être humain dispose, si l'on mettait tout cet amour ensemble, il y aurait explosion, feu de toutes ces parcelles d'amour.

Dieu s'est toujours manifesté de façon bizarre. Il brûle. Il est irregardable tellement il est éblouissant. Il n'est pas visible. Il est quoi ? Un signe ? Un mot ? Dieu est amour. La grande phrase de saint Paul. Celle qu'incarne sainte Thérèse de Lisieux, morte à vingt-quatre ans. La grâce, à profusion, est tombée sur une gamine devenue docteur de l'Église. Qu'est-ce que la grâce ? Ces moments de bonheur intense où l'on ne comprend pas ce qui vous arrive, et l'une de ces grâces est sans doute de tomber amoureux. Non pas de cet amour bestial qui rend le cheval fou, les yeux exorbités, hennissant comme jamais lorsqu'il approche la jument ; il dépose son sperme en elle, puis s'en va. C'est fini. Nous sommes parfois ainsi, nous aussi. Mais cet amour physique est censé aboutir à la vie... C'est là où Dieu a mis en l'homme et la femme un désir qui les dépasse complètement : qu'il s'agisse de grand amour ou d'amour bestial, l'enfant naît. La vie se reproduit. Autrefois je n'aimais pas les enfants, mais j'ai appris à les connaître. Je regrette parfois de ne pas en avoir eus : mais aurais-je su céder ma place d'enfant à cet enfant ?

Alors, l'amour pour Marguerite... Quelque chose qui ne se détruirait pas, je n'ose employer le mot d'« éternel » avec elle, mais il y a de cela. Marguerite est si multiple. Elle a des phrases blasphématoires comme : « Il est temps qu'on arrête Dieu, ce truc ». Mais aussi : « Je ne crois pas en Dieu mais j'en parle tout le temps. » Il est assez difficile de se débarrasser complètement de Dieu...

Marguerite et moi avons souvent lu en public un texte d'elle que j'aime beaucoup : *La Jeune Fille et l'Enfant*. L'histoire d'un amour entre une jeune femme et un enfant, amour impossible mais en devenir. Nous avons longuement travaillé pour la première lecture, qui a eu lieu au festival de Digne — dont elle disait qu'il était « le plus beau festival de France ». Évidemment, on y passait tous ses films ! Nous avons coupé, déplacé le texte, modifié de nombreuses fois, comme d'habitude. Plus tard, j'ai demandé à Marguerite de lire, seul, *La Jeune Fille et l'Enfant*, ce que j'ai fait souvent, dans des universités, et même à Avignon, pour Claude Santelli. J'aimais cette histoire qui ne peut pas être encore vécue parce qu'il n'est pas un homme encore, mais un enfant. Et elle, la jeune fille, lui dit une chose merveilleuse : « Tu reviendras, je t'attendrai. » Une folie d'amour. L'amour chez Marguerite, c'est la folie, mais dans le bon sens du terme, dans le sens de l'absolu.

Autour d'elle se retrouvait une sorte de famille, mais à une certaine période, nous nous sommes beaucoup vus tous les deux. On se comprenait à demi-mot. Nous faisions les enfants. À Paris, les parkings s'ouvraient les uns après les autres et Marguerite me disait : « Tu viens ? On va se balader. » Nous partions en voiture, on « faisait » tous les parkings, comme des mômes, plongeant *hop* !, circulant *vroom*..., remontant *zim boom tralala* ! de l'autre côté. Nos bêtises, il n'y a pas d'autres mots, nous amusaient. Nous partions dans des éclats de rire inextinguibles en lisant un florilège de lettres adressées à la Sécurité sociale qu'Alain Resnais avait donné à Marguerite et dont j'ai retrouvé quelques perles :

« Souffrant d'un long magot dans les reins, je voudrais être radio-diffusé pour voir si j'ai la colliose. »

« Orphelin à l'âge de treize ans, j'ai vécu de droite et de gauche mais toujours dans le droit chemin. »

« On a coupé les bourses à mon fils, il ne va plus en classe. »

« Mon mari est mort depuis deux mois : que dois-je faire pour le sortir de la Caisse ? »

Marguerite avait ce don de déplacer les choses les plus simples, les plus banales. Le don de faire de la vie une jubilation.

Nous partagions une admiration pour *La Nuit du chasseur*. Combien de fois avons-nous parlé de ce film qui nous subjuguait, littéralement ? La magie extraordinaire de ces plans sur la rivière, un univers shakespearien — Charles Laughton, immense comédien comme je les aime, était familier de Shakespeare. Quand on pense que cet homme, incompris d'Hollywood, n'a jamais rien pu faire d'autre... Son film était trop européen, les Américains ne s'y retrouvèrent pas. Nous éprouvions aussi une même fascination pour le cinéma de Dreyer. Je plaçais *Ordet* plus haut que tous ses autres films. Mais c'est *Gertrud* qui passionnait Marguerite.

Et puis les choses ont changé. À partir du *Navire Night*. En 1977, nous avions joué *L'Éden cinéma* au théâtre, « refonte » du *Barrage contre le Pacifique*, avec Madeleine Renaud dans le rôle de la mère et Bulle Ogier dans celui de Marguerite enfant, et puis le frère. Catherine Sellers et moi lisions des voix *off*, dans un coin, avec un micro, sur la scène du théâtre d'Orsay, ce lieu si fabuleux à l'époque, impensable, qui se recréait selon les besoins du jour, avec des bouts de décors à droite et à gauche. Madeleine a empoigné ce rôle difficile, où il lui fallait mourir chaque soir en scène. Marguerite venait. Elle pleurait. Et moi, j'étais tellement ému qu'il a fallu, deux ou trois fois, que je parte faire un petit tour en coulisses. C'est si beau, tout ce qui a rapport à la mère, cette enfance retraduite de Marguerite, récurrente dans ses livres jusqu'à *L'Amant*. Et puis le petit frère mort...

Marguerite avait déjà mis en scène plusieurs films quand elle m'a parlé du thème de

Navire Night : les réseaux téléphoniques, la nuit. À l'époque on parlait beaucoup de tout cela, et elle écrivit un texte pour le théâtre. J'ai joué cette pièce avec Bulle Ogier et un transsexuel, Marie-France. Tous les trois. Marguerite venait aux répétitions au théâtre Édouard-VII. Au bout d'un moment, elle s'adressait à la cantonade :

« Personne ne voudrait aller acheter une bouteille ? »

Elle ne sortait pas son porte-monnaie en disant : « Voilà de quoi acheter de l'alcool », non, pas du tout : « Est-ce que quelqu'un pourrait aller acheter une bouteille ? » Elle ne voulait pas la payer ! La relation de Marguerite à l'argent était, si je puis dire, impayable. Alors quelqu'un — le plus souvent l'assistant — allait acheter une bouteille de vin qu'elle sifflait doucement... C'est là qu'elle a commencé à contester le travail de Claude Régy :

« Mais non, Claude, c'est pas comme ça, j'ai pas du tout écrit ça comme ça... »

Alors lui :

« Mais si, Marguerite, laisse-moi faire, tu sais comment je travaille... J'ai besoin de faire de longues séances où l'on ne parle pas beaucoup, des silences...

— Oui, oui, mais c'est pas comme ça. »

Je commençais à me sentir très mal.

Je suis même tombé, un soir, après avoir bu un demi-litre de whisky, sous le coup de la tension et des tiraillements. C'était invivable, au point qu'un jour j'arrêtai la répétition et m'en pris directement à Claude et à elle :

« Écoutez maintenant, ça suffit ! On ne peut pas répondre à papa et à maman à la fois. Il faut choisir. »

Jusque-là tout s'était passé sans aucun problème entre eux, et la voilà qui se mettait à reprendre Claude à tout instant. Nous avons passé de très mauvais moments. Je me rappelle très bien lui avoir dit ensuite : « Maintenant que tu sais tellement bien ce que tu veux, tu pourras monter toi-même tes pièces. »

C'est ce qui arriva quelques années plus tard, au théâtre du Rond-Point. Marguerite monta, toute seule, *Savannah Bay* avec Madeleine Renaud et Bulle. Elle avait acquis son idée de la mise en scène de théâtre.

Alors voilà la visite à Marguerite. Une connivence profonde, comme je n'en ai pas rencontré beaucoup dans ma vie. Après

Navire Night s'ouvrit la période où elle fut très malade, et Yann Andréa est arrivé. Elle s'est soignée, s'est arrêtée une première fois de boire, a recommencé avec Yann jusqu'au moment où il l'a remise en clinique et où il l'a sauvée. Le médecin lui avait dit, la seconde fois : « Si vous n'arrêtez pas, vous allez mourir. » C'était effroyable. Je l'ai moins vue à cette époque parce que je ne savais plus quoi faire. Elle n'était bien que quelques heures par jour.

Yann est venu. Il a pris la place. Il a pris toutes les places, Yann. Chaque fois que j'allais la voir, il était toujours là et ce ne serait plus jamais pareil. J'avais avec Marguerite un rapport personnel, qui ne pouvait se poursuivre à trois.

Marguerite Duras m'a apporté la liberté de penser, balayant des idées auxquelles je croyais croire et dont je suis arrivé, à travers elle, à me détacher. Elle m'a appris l'indépendance de jugement, m'a donné cette capacité à dépasser ce qui est apparemment certain. Je lui dois beaucoup, dans le sens d'avoir largué les armoires, je veux dire amarres (mais le lapsus est révélateur si l'on pense aux armoires pleines), d'avoir acquis une espèce de recul. Ne pas prendre au tragique toutes les histoires. Je traversais personnellement une période très dure avec ma mère paralysée. Elle m'a aidé à évoluer, à passer « au-dessus », et d'une façon générale à dire des choses que je n'aurais pas osé dire. Elle m'a montré en quoi ceci ou cela, que j'aimais bien, ne valait rien. Mais là où nous étions en parfait accord, c'est à propos de Virginia Woolf qui m'est si chère, et que Marguerite aimait beaucoup. Un jour elle est venue ici et, voyant sur la table *Les Vagues*, a simplement dit :

« Ah ! Virginia. »

Avec un tendre sourire dans la voix.

Cette façon de parler de Marguerite, ce ton si personnel, cette voix de l'intelligence. C'est curieux comme elle témoignait d'une espèce de bon sens si frappant. Les choses étaient évidentes et claires. Et cette écriture, qu'on reconnaît entre toutes. Je ne sais pas expliquer pourquoi ça marche. Un seul mot me vient, celui d'« inspiration ». Comme « respiration ». L'inspiration forte et incessante, elle écrivait tous les jours, le matin, prise de folie parfois, les phrases lui venaient comme ça, elle raturait beaucoup, tout, tout le temps, mais repartait toujours. Les mots sont la matière première du comédien, mais là, il me semble avoir joué ses textes comme porté par l'inspiration elle-même. C'est dans cette osmose-là, au plus proche de la création, que j'ai été son interprète, c'est dans l'intimité de cette expression que je l'ai fréquentée.

Je crois que c'est ainsi que l'on pouvait avoir une véritable relation avec Marguerite Duras. Parce qu'elle est toute écriture.

VISITES...

Au lecteur pour tous

« *Quels étranges paysages fait ta voix*
brodée dans les chambres je ne sais plus
quelles chambres j'y promène des théières
et des branches d'arbres déshabillées
le thé fume ou peut-être le jardin
peut-être aussi le fond des icônes
la légèreté des choses perçue à l'oreille
la peau se plisse par endroits
la porcelaine de la tasse se refroidit
on attend
les fenêtres deviennent couleur aubergine
puis referment la nuit. »

Lorand Gaspar.

On arrive sur scène, on pose le texte devant
soi sur un pupitre ou sur une table, puis on
se met à lire à voix haute. Purement et simplement. Je n'interprète pas lors d'une lec-

ture, je ne joue pas, je laisse les mots faire leur travail, je m'efface derrière eux. Quand les mots sont porteurs, leur dimension s'exprime dans le déroulé de la voix. Entre mes premières lectures des *Lettres à une musicienne* de Rainer Maria Rilke et les dernières, je savais le texte presque par cœur, mais pour ne pas risquer de l'interpréter, je continuais à lire. Le parcours de mes yeux sur la feuille préserve le calme qui convient à la situation.

Si je reviens aux sources de cette pratique de lecture à voix haute sur une scène, tellement plus en vogue aujourd'hui qu'autrefois, je retrouve Marguerite Duras : « La lecture, c'est la plus belle chose au monde », disait-elle. Marguerite exagère toujours, mais elle aimait beaucoup lire elle-même à voix haute, et, de fait, elle lisait très bien. Cette conviction que le moment de la lecture est plus fort encore que celui du jeu, elle la partageait avec Claude Régy. Il y a une belle expression de Claude sur cette façon de s'approprier le texte : « l'oreille intérieure ».

Le comédien lecteur est un peu comme ce visiteur qui vient faire la lecture à celui qui ne peut pas, ou ne peut plus, lire. Je n'en déduis pas que les gens ne sont plus capables de lire de nos jours ! Mais peut-être viennent-ils, dans l'ombre, réveiller un désir que leur quotidien ne favorise pas.

Autrefois ce n'était pas sur scène, mais dans les foyers que le texte vivait sous cette forme. Un écrivain comme Gide lisait à voix haute pour les siens. Mais aujourd'hui, plusieurs générations se retrouvent dans des salles qui, à ma grande surprise, et quelque soit le programme, sont pleines et presque recueillies. Lorsque j'ai lu l'*Évangile selon saint Marc* en entier — le plus court des quatre mais enfin, c'était tout de même un peu effrayant —, sept cents personnes étaient rassemblées à l'Abbaye aux Dames de Caen : que se passe-t-il pour que des gens aient envie d'entendre quelque chose qu'ils connaissent et lisent chez eux, en l'occurrence, pour les croyants, leurs Évangiles ?

Le phénomène dépasse largement ce public. Un soir, à Lyon, répondant à une demande de dernière minute de Jacques Weber, j'ai lu un choix de poèmes, emporté sur un coup de cœur. Sans avoir rien préparé, j'ai ouvert mes livres au hasard, de Ronsard à Verlaine, en transpirant beaucoup... À la fin, les spectateurs m'attendaient en nombre pour me dire

217

simplement : « Merci de nous faire entendre ces beaux textes. »

Ce goût si vif vient-il en réaction aux mises en scène de théâtre sophistiquées qui finissent par noyer le texte ? Je pense à l'*Orlando* de Bob Wilson : quand j'ai vu ce qu'il avait fait de la prose de Virginia Woolf, que j'aime tant, j'en ai conclu que Bob Wilson n'accordait plus d'intérêt au texte. Cette écriture magnifique devenait un motif. On n'écoutait pas Virginia, son texte était un prétexte. L'image est superbe chez Wilson, le visuel absolument enchanteur. Son travail avec des autistes l'a amené, dans *Le Regard du sourd*, à réinventer la mise en scène à partir de rythmes, couleurs, lumières et tous ces ralentis tellement à la mode à une certaine époque. Dans les années soixante et soixante-dix, des metteurs en scène comme lui ont créé des spectacles extrêmement brillants mais qui faisaient passer le texte au second plan.

J'ai l'impression que tout un mouvement cherche actuellement sur scène un langage universel au-delà même des mots... Je pense à l'un des spectacles les plus beaux que j'aie vus ces derniers temps, de l'opéra équestre

Zingaro. Ces chants du Radjastan disent tout en musique, et si intensément... J'apprécie beaucoup aussi le travail des Deschamps, qui utilisent, un peu comme dans le cinéma de Tati, ce « petit parler » sans importance relevant presque du bruit de fond. Au théâtre de la Ville, j'ai vu un très beau spectacle de François Verret, *À propos de Gaspar Hauser* : une espèce d'acrobate plongeait sur son trampoline pour s'envoler, tel un oiseau, dans les airs. Sur un ton absolument neutre, Verret disait son texte. Quelle soirée magnifique ! Tout cela m'étonne, mais je ne m'en plains pas. Les choses bougent, doucement. Jean-Jacques Gautier, du *Figaro*, qui faisait la pluie et le beau temps au théâtre, s'est voilé la face de honte en assistant à la représentation de *Comédie* de Beckett. Et le grand critique Jacques Lemarchand, après avoir vu Marivaux monté par Chéreau, est arrivé en larmes à la *NRF*, dans le bureau de Jean Paulhan : « Si ça doit être ça le théâtre, je préfère m'arrêter. »

Je suis issu d'une génération où il n'y avait que LE texte, et suis moi-même passé par toutes sortes d'expériences qui l'ont contourné. Il faut dire — et quoi qu'en ait pensé la critique — qu'après Beckett et Ionesco je ne vois pas qu'il y ait eu en France tellement d'auteurs aussi importants pour le théâtre. Comme si la parole avait perdu de son pouvoir. À force d'en avoir entendu tant et tant qui se sont avérées complètement creuses ? Le règne de la sentence, du respect de la parole, s'est-il achevé avec la perte de grandeur des idéaux ? L'écriture théâtrale n'est sans doute plus aujourd'hui le lieu essentiel d'une pensée. De certains débats télévisés peut surgir une véritable dramaturgie : on croit parfois assister à une représentation ! Ce n'est peut-être pas tragique. Après des siècles et des siècles de sacro-saints textes pour la scène, peut-être doit-on en passer par autre chose.

Les spectacles qui se créent chaque année plus nombreux à partir d'extraits d'œuvres littéraires, sous forme d'anthologies vivantes, redonnent ce plaisir du texte pour lui-même, mais ceux-là n'ont pas été écrits pour le théâtre. Pourtant, lorsqu'on voit les succès de Fabrice Luchini avec La Fontaine ou Céline, et bien avant lui déjà de Laurent Terzieff avec Rilke et Milosz, des Trintignant, père et fille, avec Apollinaire, et plus récemment de

Jacques Weber, André Dussolier, Philippe Noiret, et j'en oublie certainement, que dire d'autre que : tant mieux ? Pour moi, j'aurais peur de me mettre trop en avant en osant ce genre de performance. J'ai appris, tout doucement, à essayer de ne pas imposer ce que je crois sans nécessité.

Dans les grandes années du théâtre musical, j'ai mis en scène des montages de textes pris dans des œuvres aussi variées que celles d'Alejo Carpentier, Gaston Bachelard ou Francis Ponge. Et, plus récemment, à la faveur d'une proposition que l'on m'a faite, j'ai mis en scène ce si précieux texte anonyme écrit aux alentours de 1870 : *Récits d'un pèlerin russe*. Claude Laugier jouait ce paysan ruiné — sa femme est morte de maladie et l'auberge qu'il avait héritée de ses parents a été brûlée par un frère jaloux — qui entre un jour dans une église pendant le sermon : « Il faut prier sans cesse », entend-il, et cette phrase l'atteint au cœur. Mais que peut bien vouloir dire « prier sans cesse » ? Sa quête d'une réponse sera longue et difficile. Il posera des questions à bien des interlocuteurs, obtiendra des interprétations trop superficielles, jusqu'au jour où, marchant dans la campagne, il tombe sur un homme habillé tout en noir, d'allure étrange. À lui aussi il pose sa question. L'homme lui répond alors : « Viens avec moi au monastère où je vis avec quelques frères, et je t'expliquerai. » Cet homme est un starets, comme dans *Les Frères Karamazov*, de Dostoïeveski, c'est-à-dire un homme sage. On dit que pour être starets, il faut avoir accompli au moins trois ou quatre miracles. Grâce à lui, le pèlerin repart avec une formule, qu'il répète sans arrêt : « Seigneur Jésus-Christ, fils de David, prends pitié de moi pauvre pécheur. » Cet homme va parcourir plus de six mille kilomètres à pied comme mendiant, à travers toute la Russie. À son retour, il est pacifié, épris d'un grand amour pour toute la création. Puis il décide de partir pour Jérusalem, et le livre s'arrête là. Notre spectacle devait durer quelques jours. Il se prolongea six mois dans la crypte de l'église Saint-Sulpice.

Les lectures, dans le sens propre du terme, celles où l'on garde le texte sous les yeux, ont désormais leur espace : en témoigne celui que Jean-Claude Carrière et Claude Santelli ont créé, avec tant de succès, au festival d'Avignon. Elles occupent une part toujours plus importante de mon travail et naissent d'amitiés, de rencontres, de propositions variées et enthousiasmantes. Je lis souvent les textes de Lorand Gaspar, grand poète d'origine juive hongroise, et chirurgien de métier. Je l'ai connu voici bien longtemps, par une amie de la famille, et il se trouve que j'apprécie autant la personne que l'écrivain. Lorand, qui a vécu en Tunisie, en Grèce, et en Terre sainte, écrit beaucoup sur le désert, dans une langue de la méditation et de la contemplation qui m'enchante. Nous choisissons les textes ensemble, et en alternons la lecture devant des publics très variés. J'ai lu la poésie de Gaspar au cours d'un colloque de Cerisy-la-Salle qui lui était consacré, et à l'occasion de rencontres littéraires qui se développent beaucoup : les « Nuits culturelles » de Nicole Granger à Nancy ou les « Regards croisés » d'Annie Terrier à Aix-en-Provence... Les intellectuels posent leurs crayons et se mettent à l'écoute de la beauté du texte, tout simplement.

Le goût de la poésie m'est arrivé assez tard dans la vie, cadeau de la maturité. J'aime infiniment lire Claudel ou Saint-John Perse parce qu'il y a là une délicieuse manducation.

Prononcer leurs phrases excite autant les papilles qu'une bonne salade de fruits. Celles de Saint-John Perse sont si juteuses au palais ! Il faut parfois trois ou quatre dictionnaires spécialisés, dans les termes marins, la flore ou l'ornithologie, pour comprendre un peu ce qu'il raconte... Mais quand bien même la signification d'un terme vous échappe, la musique vous emporte. Ainsi, ce passage d'*Amers* :

« Ô mon amour au goût de mer, que d'autres paissent loin de mer l'églogue au fond des vallons clos — menthes, mélisse et mélilot, tiédeurs d'alysse et d'origan — et l'un y parle d'abeillage et l'autre y traite d'agnelage, et la brebis feutrée baise la terre au bas de murs de pollen noir. Dans le temps où les pêches se nouent, et les liens sont triés pour la vigne, moi j'ai tranché le nœud de chanvre qui tient la coque sur son ber, à son berceau de bois. Et mon amour est sur les mers ! et ma brûlure est sur les mers !... »

Avec ma grande complice de presque toujours, la comédienne Edwine Moati, nous avons imaginé un montage de textes de Saint-John Perse et de saint Jean de la Croix. L'argument était le suivant : nous aidions saint

Jean de la Croix à descendre un peu sur terre et Saint-John Perse à monter au ciel. La rencontre pouvait sembler étrange, mais ces deux écritures-là se complètent en grâce. Bien que la prose de saint Jean de la Croix, traduite de l'espagnol, perde forcément au passage en français. Mais il faudrait alors lire chaque poète dans sa langue. Apprendre le russe pour percevoir la musicalité de la poésie de Marina Tsvetaeva, etc...

Autre chose encore est l'alliance subtile entre la musique et les mots, et comme nous y invitait le texte de Rilke, Alain Kremski a accompagné au piano notre lecture des *Lettres à une musicienne* au théâtre de l'île Saint-Louis. L'alchimie atteint des sommets quand Claudel et Honegger travaillent ensemble pour leur *Jeanne au Bûcher* interprétée avec tant de grâce par Sonia Petrovna. Il m'arrive fréquemment d'accepter le rôle de récitant lors de concerts où la lecture s'inscrit alors dans une œuvre collective : j'ai lu *L'Histoire du soldat* de Ramuz et Stravisky où il me plaît bien d'être tour à tour chacun des personnages, la jeune princesse, le diable et le soldat. Mais pour *Le Martyre de saint Sébastien* de Debussy, il faut se méfier de l'emphase : dans le genre, les didascalies de Gabriele D'Annunzio sont à pleurer de rire !

Quand on doit lire les textes de jeunes poètes qu'on ne connaît pas, qu'on n'a jamais lus, quelle option choisir ? Je refuse de lire des textes qui ne me portent pas. À partir de là, je m'en remets toujours à la force des mots, ce sont eux qui finiront pas travailler. Je lis le texte plusieurs fois, sans chercher à savoir à l'avance comment je vais faire, tout s'invente dans l'instant. L'enregistrement des grandes dramatiques autrefois si régulières à la radio favorisait cet art du spontané : on arrivait au studio le matin pour lire le texte une première fois, et l'on enregistrait l'après-midi. Du talent du metteur en ondes dépend beaucoup la suite. Georges Peyrou m'a laissé des souvenirs grandioses : *India Song*, bien sûr, mais aussi une *Vie de Gesualdo*, ce compositeur aussi génial que fou. L'émission était un chef-d'œuvre.

J'ai parfois regretté d'avoir accepté trop vite un travail qui aurait nécessité une importante préparation. Certaines œuvres n'autorisent pas la spontanéité et ma lecture d'*Ostinato*, de Louis-René des Forêts en a souffert. Prose sublime, mais très ardue à lire, et que je n'avais pas assez en bouche en arrivant ce soir-là sur la scène de la Maison de la Poésie. Il faisait une chaleur épouvantable, qui m'a valu ce superbe lapsus : au lieu de « nous avons besoin d'un grand appétit » j'ai lu « nous avons besoin d'un grand apéritif ». Personne n'a bronché. Par honnêteté, je me suis repris, excusé, et la salle s'est esclaffée... Louis-René des Forêts, qui s'y trouvait, me pardonna : « Ce sont des choses qui arrivent. » Des mots qui viennent se greffer sur la situation du moment, et c'est le dérapage... Pour mes récentes lectures d'*À la recherche du temps perdu*, j'ai consacré tout le temps nécessaire à lire et à relire Proust. Lui qui ne cesse de m'interroger : comment a-t-il pu côtoyer de si près cette superficialité mondaine et cruelle et la transcender ensuite, avec autant de patience et jusqu'à épuisement, pour faire aboutir son immense projet littéraire ? Il est impossible de bien lire ces pages du *Temps Retrouvé* si l'on ne les a pas mûries en soi :

« Oui, à cette œuvre, cette idée du Temps que je venais de former disait qu'il était temps de me mettre. Il était grand temps ; mais, et cela justifiait l'anxiété qui s'était emparée de moi

dès mon entrée dans le salon, quand les visages grimés m'avaient donné la notion du temps perdu, était-il temps encore et même étais-je encore en état ? L'esprit a ses paysages dont la contemplation ne lui est laissée qu'un temps. J'avais vécu comme un peintre montant un chemin qui surplombe un lac dont un rideau de rochers et d'arbres lui cache la vue. Par une brèche il l'aperçoit, il l'a tout entier devant lui, il prend ses pinceaux. Mais déjà vient la nuit où l'on ne peut plus peindre, et sur laquelle le jour ne se relèvera pas. »

Ce métier m'a laissé peu de regrets. Peut-être d'avoir passé l'âge de Bartleby, le héros de Melville, que j'avais croisé grâce à Maurice Ronet. Mais celui-là, oui, de ne pas avoir joué le baron Charlus sous la direction de Joseph Losey, sur un scénario de Harold Pinter. Losey n'a jamais trouvé l'argent. Visconti non plus, dont le projet demandait des moyens plus faramineux encore... Quand Volker Schlœndorff préparait *Un amour de Swann*, ayant appris que Losey m'avait proposé le rôle de Charlus, il me demanda de le tenir dans son film, ce que j'acceptai aussitôt. Puis me posa la question suivante :

« Qui vois-tu dans la duchesse de Guermantes ?

— Delphine Seyrig, lui répondis-je aussitôt.

— Mais non, elle est beaucoup trop le personnage ! »

Quelque temps plus tard, coup de téléphone : le producteur voulait Alain Delon en Charlus, et personne d'autre.

Quand j'ai vu le film, comme j'ai été heureux de ne pas l'avoir fait ! À mon avis, Schlœndorff s'est trompé, complètement : il a pris Proust pour Maupassant.

Si l'on avait lu Proust autrefois, il aurait fallu hurler « *Longtemps je me suis couché de bonne heure* » pour se faire entendre de la salle. La technique aujourd'hui permet de susurrer, de donner de petits sons, intimistes, sur un ton auquel on s'est habitué avec le cinéma et la télévision : les voix ne sont plus aussi fortes de nos jours. Dans le temps, pour se faire entendre, il fallait soutenir la voix, alors la vibration commençait, les tremblements survenaient, la respiration se bloquait, et l'emphase triomphait ! Maintenant tout cela est terminé, ou presque, nous sommes dans le temps de la sobriété.

Je me souviens de Cocteau, lisant ses propres poèmes : la Comédie-Française dans les mauvais jours. Les poètes lisent souvent très mal leurs œuvres parce qu'ils se croient obligés de « faire » de la poésie, d'exprimer, à chaque intonation, que ce sont bien eux qui ont écrit ces mots-là, qui veulent dire cela, et pas autre chose...

D'une façon générale, la diction souffre encore tant de ces mauvaises habitudes acquises à l'école, où l'enfant apprend à ânonner la poésie. Du moment que la récitation est sue par cœur, le but est atteint, et tout le reste est négligé. Et lorsqu'on demande à quelqu'un de dire spontanément *Le Corbeau et le Renard*, il y a de quoi être surpris : quarante ans après, comme une résurgence de ce qu'on leur a inculqué pendant l'enfance, des adultes bêtifient comme s'ils se trouvaient encore sur les bancs de la classe.

Quand on lit en public, tout est dans la voix. Au cours d'une lecture, il peut y avoir une attitude, un geste, qui vient spontanément comme pour souligner quelque chose. Au théâtre, on est impliqué corporellement dans sa totalité. Tout joue, la tête, les bras, les jambes, les pieds. Au cinéma, on est souvent sélectionné en plan moyen ou en grand plan, bien souvent, il n'y a plus que le visage qui travaille, et la voix....

L'enregistrement des textes sur cassettes ou CD est un autre genre de travail : je lis alors comme pour moi-même *L'Étranger* de Camus, *Le Banquet* de Platon, *Le Très-bas* de Christian Bobin. Il semble que les meilleurs clients soient les automobilistes : ils s'offrent un voyage en douce pendant leurs trop longs trajets. Combien de fois ne m'a-t-on pas dit : « Je vous ai reconnu à votre voix. » ?

La lecture à voix haute peut faire émerger des émotions ou des interprétations que l'on ne ressent pas quand on lit pour soi. À l'occasion d'une tournée dans des bibliothèques de la région champenoise, j'ai élaboré un petit répertoire de textes dans lequel j'ai introduit *Joséphine la cantatrice* de Franz Kafka. J'aime bien cette peinture du monde du spectacle vu à travers l'univers de ces petites souris au milieu desquelles vocalise Joséphine. Quand j'ai lu cette nouvelle pour la première fois à Troyes, je crois, j'en ai découvert la dimension humoristique, en l'occurrence l'humour juif, à mesure des rires de la salle, à plus d'un passage. J'ai su plus tard que Kafka en avait lui-même fait l'expérience : lisant *Le Procès* à haute voix, il avait été obligé de s'interrompre sous peine de s'étrangler de rire... À la faveur du texte prononcé, autre chose se révèle, souvent sur l'initiative du public qui vous renvoie sa sensibilité, et vous autorise parfois des audaces.

Quand vous lisez une œuvre que vous ne compreniez pas très bien au premier abord, ou bien un texte que vous découvrez tout juste, des phrases vous atteignent pour des raisons personnelles. Elles recouvrent soudain un terrain familier, sensible. Je comparerais cette expérience à celle de la rencontre entre deux êtres humains, voici tout d'un coup que naît une sympathie, la conversation s'établit, on a du plaisir à se parler. Il y a des auteurs avec lesquels on se sent ainsi en intimité : ils sont comme une présence qui vous veut du bien et vous allez donner le meilleur de vous parce que vous êtes en osmose avec eux. Un mariage en quelque sorte.

J'ai beaucoup de plaisir à être le porte-parole de tel ou tel écrivain que j'aime : faire résonner ainsi, discrètement, ce que Christian Bobin écrit. Vivants ou morts, les auteurs que je lis sont des amis pour lesquels j'éprouve de la tendresse. Il y a, dans le partage d'une lecture, quelque chose d'une communion. Mais cette atmosphère recueillie peut advenir par bien d'autres moyens. Après avoir vu les *Récits d'un pèlerin russe*, Viviane Forrester a dit qu'elle avait compris là ce que prier veut dire.

Que sommes-nous chargés de transmettre à partir des œuvres ? Une situation visuelle, par notre présence sur scène, en donnant consistance à des personnages qui croient et vivent ce qu'ils disent. Plus modeste, la scène d'une lecture demeure un lieu d'exposition du texte, où l'on demande au comédien de se donner. L'investissement dans le temps est évidemment moindre, et l'on ne fait pas appel à la mémoire. Mais il incombe tout autant à l'acteur de donner sa chair aux textes. De le devenir, en partie. Car je ne crois pas qu'il soit jamais bon d'être complètement l'auteur ou complètement soi. Le lieu idéal pour cette rencontre me paraît ce mi-chemin entre la prise en charge de ce que le personnage réclame et la part de ce que votre personnalité peut lui apporter.

Quand je lis des textes aussi poignants que le journal de Cesare Pavese, des fragments

de l'œuvre du grand poète algérien Kateb
Yacine, ou quelques extraits des écrits de
Charlotte Delbo, j'accomplis une sorte de parcours dans le parcours d'un autre. Je ne joue
pas un rôle. Je lis pour tous, pour tous ceux
qui sont là. Si rôle il y a, c'est celui du pas-
seur, qui vient transmettre ces morceaux de
vie.

Sur le pas de la porte

« Renoncer au vieil homme », disent les Écritures : la recherche spirituelle recommande de ne vivre ni dans le passé, ni dans l'avenir, mais dans l'instant. Plus jeune, j'avais une certaine idée de ce que je voulais être. Pour parvenir à cette liberté artistique, j'ai gratté, comme on dit en peinture, et ce travail a pris des années. Il serait bien prétentieux de conclure, et surtout en des temps si troublés, que j'ai atteint, dans mon petit coin, la paix intérieure. Convenons que j'ai avancé sur ce chemin.

Marguerite Duras avait eu un songe où elle me voyait habillé en moine... J'ai eu envie d'entrer dans les ordres mais l'expression artistique l'a emporté. Pour moi, vivre parmi les autres passe par l'amour. Mais aussi par quelque chose que j'ai découvert il n'y a pas si longtemps : le pardon. Si essentiel que le Christ le place en tête du « Notre Père » : « Pardonne-nous nos offenses comme nous pardonnons à ceux qui nous ont offensés. » Ce n'est pas facile. Ni de recevoir le pardon de Dieu, ni de donner son pardon aux autres. Un jeune prêtre inspiré, Pascal Ide, m'a parlé d'un troisième pardon : celui que l'on s'accorde à soi-même. Il est frappant de constater combien les gens, souvent, ne s'aiment pas ; se détestent, même, profondément ; s'en veulent, se reprochent constamment quelque chose. Beaucoup d'artistes sont ainsi. Et face à ces souffrances, le troisième pardon peut être une source de guérison psychique et même physique.

On ne sort pas indemne, cela étant, d'une visite à soi-même et à ceux qui vous ont entourés. Elle vous disloque autant qu'elle vous rassemble ! On n'aime pas toujours ce qui se découvre derrière les mots qu'on a prononcés... Sans chercher à briller, on voudrait au moins ne pas décevoir celle ou celui qui vous confond avec ce qu'il connaît de vous : vos rôles. Bref, il faut se supporter et l'on ne se supporte pas tous les jours. Voilà pourquoi l'on est si bien en étant un autre, et à faire de cela un métier, on devient soi-même.

Quand elle rendait visite à un couple d'amis musiciens, la grande pianiste Clara Haskil sonnait à la porte mais restait sur le seuil : « Je viens juste dire un petit bonjour, je n'entre pas. » La visite sur le palier durait parfois près d'une heure... J'ai le sentiment de m'être aventuré un peu plus loin. De retour sur le pas de la porte, j'ai envie de dire : merci pour la visite. Et de prendre un petit temps de silence. Je me souviens de ces émissions extraordinaires de Pierre Dumayet ou de Denise Glaser, et des blancs, si longs, si gênants parfois pour leurs interlocuteurs, mais qui en disaient tellement plus que n'importe quel mot...

Accéder à ce genre de silence exige d'en passer par une étape douloureuse, l'angoisse de se retrouver face à soi-même. Pour l'éviter on parle, tout le temps, et à trop parler, on ne laisse pas de place à l'autre. Si l'on cessait, ne serait-ce que le temps d'une journée, de se couvrir de bruit, si l'on avait cette patience et ce courage, on obtiendrait, en se mettant à l'écoute, de petites indications pour l'obtention de grandes richesses.

C'est ma façon de dire à Dieu « Que ta volonté soit faite » et de m'y rendre.

Des petites cures de silence, ça n'est pas mauvais.

Partir seul à la campagne. Ou rester là, à contempler le rayon du soleil sur la porte de la cuisine, dont le mouvement indique que la terre est en train de tourner autour de lui.

Ou disparaître ? Comme la pince à ongles de la trousse de toilette, dans le court métrage de Jean-Claude Carrière *La Pince à ongles*, seul film qu'il ait jamais tourné. Comme il est dommage qu'il se soit arrêté là !

Un couple arrive dans une chambre d'hôtel et défait ses valises. Dans la salle de bains, l'homme sort sa pince à ongles de sa trousse de toilette, la pose sur l'étagère, et revient dans la chambre ; quelques instants plus tard, il retourne dans la salle de bains mais ne trouve plus la pince à ongles :

« C'est toi qui as pris ma pince à ongles ? demande-t-il à sa femme.

— Non, répond-elle.

— C'est tout à fait étrange, je l'avais il y a un instant dans la main...

— Mais je t'assure que je ne l'ai pas touchée. »

Le même phénomène se produit avec la trousse de toilette, puis avec les vêtements, ce

238

qui rend le bonhomme bien perplexe. Lorsqu'au bout d'une série de va-et-vient chaque fois plus inquiétants, il ressort à nouveau de la salle de bains pour retourner dans la chambre, c'est pour constater que sa femme a disparu à son tour. Très angoissé, il appelle le réceptionniste, qui monte aussitôt, frappe à la porte, entre dans la chambre : l'homme, lui aussi, a disparu.

Et resurgit, lors d'un *happy end* que je m'invente, dans le chapeau haut de forme d'un magicien : sous la forme du lapin d'*Alice au pays des merveilles*.

COMÉDIEN AU THÉÂTRE
(Liste non exhaustive)

1960 — *Le Comportement des époux Bredburry* de
François Billetdoux, mise en scène François
Billetdoux.

1961 — *Les Nourrices* de Romain Weingarten, mise
en scène Romain Weingarten.
La Pensée de Leonid Andreïev, mise en scène
Laurent Terzieff.

1962 — *Franck V* de Friedrich Durrenmätt, mise en
scène André Barsacq.

1963 — *Des clowns par milliers* de Herb Gardner,
mise en scène Raymond Rouleau.
L'Avenir est dans les œufs de Eugène Ionesco,
mise en scène Jean-Marie Serreau.
Le Tableau de Eugène Ionesco, mise en scène
Jean-Marie Serreau.

1964 — *Comédie* de Samuel Beckett, mise en scène
Samuel Beckett.

1965 — *Zoo story* de Edward Albee, mise en scène
Daniel Emilfork.
Le Mal de Teste de Ira Wallach, mise en scène
Pierre Dux.

1967 — *La Tragédie du Roi Christophe* de Aimé Césaire, mise en scène Jean-Marie Serreau.
Rosencrantz et Guildenstern sont morts de Tom Stoppard, mise en scène Claude Régy.

1968 — *Se trouver* de Luigi Pirandello, mise en scène Claude Régy.
La Tempête de William Shakespeare, travail de recherche sous la direction de Peter Brook.
L'Amante anglaise de Marguerite Duras, mise en scène Claude Régy.

1969 — *Une tempête* de Aimé Césaire, mise en scène Jean-Marie Serreau.

1970 — *L'Exception à la règle* de Bertold Brecht, mise en scène Jean-Marie Serreau.
La Mère de Ignacy Witkiewicz, mise en scène Claude Régy.

1973 — *Home* de David Story, mise en scène Claude Régy.
Isma de Nathalie Sarraute, mise en scène Claude Régy.

1974 — *La Chevauchée sur le lac de Constance* de Peter Handke, mise en scène Claude Régy.

1976 — *Chers zoiseaux,* de Jean Anouilh mise en scène Jean Anouilh.

1977 — *L'Éden Cinéma* de Marguerite Duras, mise en scène Claude Régy.

1978 — *Le Nom d'Œdipe* de Hélène Cixous, mise en scène Claude Régy.

1979 — *Navire night* de Marguerite Duras, mise en scène Claude Régy.

1980 — *Antigone toujours* de Pierre Bourgeade, mise en scène Jean-Louis Barrault.

1985 — *Conversations* de Georges Aperghis.

242

1986 — *La Tour de Babel* de Georges Aperghis.

1988 — *Trois voyageurs regardent un lever de soleil* de Wallace Stevens, mise en scène Claude Régy.

1990 — *Le Cerceau* de Victor Slavkine, mise en scène Claude Régy.

1992 — « *H* » de Georges Aperghis.

1993 — *La Mouette* de Anton Tchekov, mise en scène Michel Fagadau.
L'Échange de Paul Claudel , mise en scène Jean Negroni.
Les Fioretti, de saint François d'Assise.

1994 — *Entrée de secours* de Gérald Auber, mise en scène Michel Fagadau.

1996 — *Le Bal des Exclus* de l'Abbé Pierre, mise en scène Daniel Facérias.

1997 — *Vous m'appellerez Petite Thérèse* de sainte Thérèse de Lisieux.

1998 — *Jeanne au bûcher* de Paul Claudel et Arthur Honegger, mise en scène Michael Lonsdale.

1999 — *Le Corps et la fable du ciel* de Jules Supervielle, mise en scène Marc Leglatin.

2001 — *Lettres à une musicienne* de Rainer Maria Rilke.

ACTEUR DE CINÉMA
(Liste non exhaustive)

1961 — *Snobs !* de Jean-Pierre Mocky.
La Dénonciation de Jacques Doniol-Valcroze.
1962 — *The Trial (Le Procès)* de Orson Welles.
1964 — *Les Copains* de Yves Robert.
1965 — *La Bourse et la vie* de Jean-Pierre Mocky.
1966 — *Les Compagnons de la marguerite* de Jean-Pierre Mocky.
L'authentique procès de Carl-Emmanuel Jung de Marcel Hanoun.
1967 — *La Mariée était en noir* de François Truffaut.
1968 — *Baisers volés* de François Truffaut.
La Pince à ongles, court métrage de Jean-Claude Carrière.
La grande lessive de Jean-Pierre Mocky.
1969 — *Hibernatus* de Édouard Molinaro.
Détruire, dit-elle de Marguerite Duras.
L'Hiver de Marcel Hanoun.
L'Étalon de Jean-Pierre Mocky.
1970 — *Le Printemps* de Marcel Hanoun.
Out one de Jacques Rivette.
Le souffle au cœur de Louis Malle.

245

1971 — *Les Assassins de l'ordre* de Marcel Carné.
Jaune le soleil de Marguerite Duras.
La vieille fille de Jean-Pierre Blanc.
Papa les petits bateaux de Nelly Kaplan.
L'Automne de Marcel Hanoun.
La grande Paulette de Gérald Calderon.
Il était une fois un flic de Georges Lautner.
1972 — *Chut !* de Jean-Pierre Mocky.
The Day of the Jackal (Le Chacal) de Fred Zinnemann.
La Fille au violoncelle de Ivan Butler.
1973 — *Les grands sentiments font les bons gueuletons* de Michel Berny.
La Vérité sur l'imaginaire passion d'un inconnu de Marcel Hanoun.
Glissements progressifs du plaisir de Alain Robbe-Grillet.
Stavisky de Alain Resnais.
Les Musiciens du culte, court métrage de Gérard Mordillat.
1974 — *Le Fantôme de la liberté* de Luis Bunuel.
Aloïse de Liliane de Kermadec.
Un linceul n'a pas de poche de Jean-Pierre Mocky.
Les Suspects de Michel Wynn.
India Song de Marguerite Duras
Sérieux comme le plaisir de Robert Benayoun.
Section spéciale de Constantin Costa-Gavras.
Galileo de Joseph Losey.
La Nuit du beau marin peut-être, moyen-métrage de Michel Verpillat.
La Choisie, court-métrage de Gérard Mordillat.

The romantic englishwoman (Une Anglaise romantique) de Joseph Losey.

Né de Jacques Richard.

1975 — *La traque* de Serge Leroy.

Le Téléphone rose de Édouard Molinaro.

Folle à tuer de Yves Boisset.

1976 — *Bartleby* de Maurice Ronet.

Les œufs brouillés de Joël Santoni.

Monsieur Klein de Joseph Losey.

Le Diable dans la boîte de Pierre Lary.

Son nom de Venise dans Calcutta désert de Marguerite Duras (voix off).

1977 — *L'Imprécateur* de Jean-Louis Bertucelli.

Une sale histoire de Jean Eustache.

1978 — *Le Rose et le blanc* de Robert Pansart-Besson.

1979 — *Moonraker* de Lewis Gilbert.

1980 — *Seuls,* de Francis Reusser.

Douce enquête sur la violence de Gérard Guérin.

Les Jeux de la Comtesse Dolingen de Gratz de Catherine Binet.

1980 — *Une Jeunesse* de Moshe Mizrahi.

1982 — *Erendira* de Ruy Guerra.

1984 — *The Holcroft covenant* de John Frankenheimer.

1985 — *L'Éveillé du Pont de l'Alma* de Raul Ruiz.

Billy ze Kick de Gérard Mordillat.

Fumeurs de charmes, court-métrage de Frédéric Sojcher.

1986 — *Le Nom de la Rose* de Jean-Jacques Annaud.

1988 — *Les Tribulations de Balthazar Kober* de Wojciech Has.

1989 — *Le Voisin de Paul,* court-métrage de Jean-Marie Gigon.

1991 — *Ma vie est un enfer* de Josiane Balasko.
1993 — *The Remains of the day (Les Vestiges du jour)*
       de James Ivory.
1994 — *Jefferson in Paris* de James Ivory.
       Nelly et Mr Arnaud de Claude Sautet.
1997 — *Don Juan* de Jacques Weber.
1998 — *Ronin* de John Frankenheimer.
1999 — *Les Acteurs* de Bertrand Blier.
       Ceux d'en face de Jean-Daniel Pollet.
2002 — *Tous contre lui* de Arnaud Des Pallieres.
       Le Mystère de la chambre jaune de Bruno
       Podalydes.
2003 — *Le Tueur sans gages* de Jean-Pierre Mocky.

METTEUR EN SCÈNE
(Liste non exhaustive)

1973 — *Sa négresse Jésus*. Musique de Michel Puig.
1974 — *Nuits sans nuit*, de Michel Leiris.
1975 — *Fragments pour Guevara*, texte de Pierre Bourgeade, musique de Michel Puig.
1976 — *Miroir*. Musique de Michel Puig.
Le je quotidien. Musique de Michel Puig.
1977 — *Les Portes du soleil* de Alejo Carpentier, musique de Michel Puig.
1979 — *La Voix humaine* de Jean Cocteau.
1981 — *Dis la vague* de Julio Vilar.
1982 — *Abel et Bela* de Robert Pinget.
1982 — *De la cave au grenier. Un corps entier de songes*. Textes de Gaston Bachelard, Jean Follain, Raymond Queneau, Georges Perec, René Char, Eugène Guillevic, Francis Ponge, Jacques Réda, Jacques Roubaud, René-Guy Cadou, etc. Musique de Jean-Pierre Drouet.
Des fleurs et de l'été de Ei Kikuya.
1983 — *Erzsebet*. Opéra de Charles Chaynes.
1984 — *Hiroshima mon amour* de Marguerite Duras.
1985 — *La Conférence des oiseaux*. Musique de Michael Levinas.

Agatha de Marguerite Duras.
Les Noces de sang de Federico Garcia Lorca.
Opéra de Charles Chaynes.
Bernard de Clairveaux. Texte de Daniel Facerias et Gilles Tinayre.

1992 — *Récits d'un pèlerin russe*. Anonyme russe.

1993 — *Les Fioretti* de saint François d'Assise.

1997 — *Vous m'appelerez Petite Thérèse* de sainte Thérèse de Lisieux.

1998 — *Jeanne au bûcher* de Paul Claudel et Arthur Honegger.

2001 — *Marie Madeleine*. Texte et musique des Frère Martineau.
La Nuit de Marina Tsvetaeva de Valéria Moretti.

Table des matières

251

Composition réalisée par NORD COMPO

Impression réalisée sur CAMERON par
BRODARD ET TAUPIN
La Flèche

pour le compte des Éditions Fayard
en avril 2003

Imprimé en France
Dépôt légal : mai 2003
N° d'édition : 35159 – N° d'impression : 18756
ISBN : 2-720-21494-9
51-27-1494-7/01